Glas des 16. bis 19. Jahrhunderts

Hohlgläser aus dem Besitz
des Bayerischen Nationalmuseums

München 1992

Begleitheft zur Ausstellung im Bayerischen Nationalmuseum, München
24. Juni 1992 bis 10. Januar 1993

Die Deutsche Bibliothek — CIP-Einheitsaufnahme

Glas des 16. bis 19. Jahrhunderts:
Hohlgläser aus dem Besitz des Bayerischen Nationalmuseums ;
[Begleitheft zur gleichnamigen Ausstellung des Bayerischen Nationalmuseums, München,
24. Juni 1992 bis 10. Januar 1993]. —
[Text: Rainer Rückert]. — München: Bayerisches Nationalmuseum, 1992
ISBN 3-925058-26-5
NE:Rückert, Rainer; Bayerisches Nationalmuseum <München>

Text (gleichlautend mit den Beschriftungstafeln in der Ausstellung): Rainer Rückert
Fotos: Walter Haberland (Abb. 46-48 und vordere Umschlagseite)und Marianne Stöckmann (alle anderen Abbildungen)

Herstellung: Hirmer Verlag München
Druck: Hofmann-Druck, Augsburg

Die Druckstöcke der Abbildungen sind zumeist übernommen aus:
Rainer Rückert, Die Glassammlung des Bayerischen Nationalmuseums München, Kataloge des Bayerischen Nationalmuseums, Band XVII, München (Hirmer Verlag, ISBN 3-7774-3400-0) 1982
[2 Bände, 372 Seiten Text für 1018 Katalognummern. 16 Farbtafeln sowie 330 Tafeln mit über 1000 Schwarz-Weiß-Abbildungen. Format 34,5 x 25 cm, gebunden. Bezug über den Buchhandel]

Vorwort

Das Bayerische Nationalmuseum besitzt eine Vielzahl kostbarer Hohlgläser von der Völkerwanderungszeit bis zum Biedermeier und verfügt damit über eine der herausragenden Sammlungen dieser Art in der Welt. Bedauerlicherweise sind seit Jahrzehnten stets nur kleine Teile des seit dem Zweiten Weltkrieg deponierten Bestandes der Öffentlichkeit zugänglich, da die Einrichtung der hierfür vorgesehenen Säle an den Abschluß der umfangreichen und langwierigen Sanierung des Museumsgebäudes gebunden ist.
Der Entschluß lag daher nahe, den Kernbestand unserer Glassammlung wenigstens für ein halbes Jahr in den nach Beendigung der Ausstellung 'Schuhe vom späten Mittelalter bis zur Gegenwart' frei gewordenen Sälen und Vitrinen im Obergeschoß des Museums zu zeigen. Die Sonderausstellung umfaßt ausschließlich die bislang noch deponierten Objekte. Nicht aufgenommen wurden die mittelalterlichen und die volkskundlichen Gläser, die ebenso wie der berühmte syrische Emailglasbecher aus dem 13. Jahrhundert ständig in den Schauräumen des Museums zu sehen sind. Im Hinblick auf die geplante Präsentation der Hauptwerke unserer noch weiter auszubauenden Jugendstilsammlung wurde auch auf die Einbeziehung der bis vor kurzem in Saal 46 ausgestellten Gläser dieser Stilepoche verzichtet.

Ihren internationalen Rang verdankt die Glassammlung unseres Hauses nicht allein den Überweisungen aus Wittelsbacher Hofbesitz und den kontinuierlichen Erwerbungen aus Staatsmitteln, sondern vor allem auch den qualitativ wie quantitativ bedeutenden Zuwendungen bürgerlicher Mäzene im 19. und 20. Jahrhundert. Hervorzuheben sind unter vielen anderen die Stiftungen Professor Martin J. von Reider (1859/60), Familie von Hirsch auf Gereuth (1860-65, 1903 und 1914), Kommerzienrat Emil Bassermann-Jordan (1901) und Kaufmann Oskar Tietz (1911). Die wertvollste Erweiterung seines Glasbestandes erfuhr das Bayerische Nationalmuseum im Jahre 1960 durch das Vermächtnis von Sanitätsrat Dr. med. Heinrich Brauser mit mehr als 40 erlesenen Gefäßen.

Das vorliegende, von Landeskonservator Dr. Rainer Rückert verfaßte Begleitheft versteht sich nicht als Ausstellungskatalog mit detaillierter Würdigung der Exponate, sondern enthält die auf den Wandtafeln der Ausstellung wiedergegebenen Einführungstexte zum Thema sowie fünfzig Abbildungen der bedeutendsten Objekte der Sammlung. Herrn Dr. Rückert gilt mein Dank umso mehr, als er diese Aufgabe kurzfristig und trotz seiner außerordentlichen Belastung durch die Arbeit am mehrbändigen Bestandskatalog der Meißener Porzellansammlung Stiftung Ernst Schneider in Schloß Lustheim übernahm.
Nachdrücklich sei auf den zweibändigen wissenschaftlichen Gesamtkatalog der Hohlglassammlung unseres Hauses hingewiesen, den Dr. Rückert 1982 als Ergebnis seiner jahrzehntelangen Forschungen vorgelegt hat.

Reinhold Baumstark

G l a s o f e n (aus: Encyclopédie, ou dictionnaire raisonné des sciences, des arts et des métiers … publié par [Denis] Diderot et [Jean le Rond] D'Alembert …, Recueil de planches, sur les sciences, les arts libéraux, et les arts méchaniques, Band X, Paris 1772, Verrerie, Tafel I)

Zur Geschichte der Hohlglaserzeugung

Aus **Sand** und **Asche** gefertigtes Glas, von den Chinesen "Tausendjähriges Eis" genannt, ist der älteste künstlich von Menschen erzeugte Werkstoff vor der Erfindung von Porzellan, Aluminium und Kunststoffen: Ein anorganisches, amorphes, also nicht kristallines Schmelzprodukt aus Kieselerde (Meeressand; Quarzsand und Kiesel in Flüssen) und einem Stabilisator in Form von Kalk, Kreide oder Blei. Alkalisalze aus Pflanzenasche - natriumreiche *Soda* oder kaliumreiche *Pottasche* - ermöglichen das Verschmelzen.
Die an hohe Temperaturen (1000-1800° C) und somit an feuerfeste Öfen gebundene Glasherstellung ist abhängig von in Fülle vorhandenem Feuerungsmaterial: Stroh, Schilf, Holz oder Kohle. Eine weitere Voraussetzung für das Fritten wie für das Schmelzen - dem Flüssigwerden des Materials - ist die Herstellung feuerfester Schalen, Tiegel oder Hafen zur Aufnahme des glühend heißen, zähflüssigen Rohglases. Sobald die mit Blasen durchsetzte Schmelze dünnflüssig wird, reinigt sie sich von selbst durch das Aufsteigen der Lufteinschlüsse.

Vorstufen der Glaserzeugung ergaben sich vielleicht als Zufallsprodukt bei der Kupferverhüttung und lassen sich seit dem 4. Jahrtausend v.Chr. in Ägypten und Mesopotamien nachweisen: glasartige, durch Erhitzung 'geröstete', also gesinterte, aber noch nicht geschmolzene *Glasfritten* und Glasuren.
Die ältesten Hohlgefäße aus nicht transparenter Glas*paste* fertigte man seit dem 17./15. Jh. v.Chr. vielleicht durch Eintauchen eines lehmigen **Sandkerns** (in Form der gewünschten Innenwandung eines Gefäßes) in die Schmelzmasse oder eher durch Aufwickeln heißer Glasfäden um einen am Ende eines Metallstabes befestigten Sandkern. Durch Rollen auf einer Steinunterlage oder durch Beschleifen glättete und façonnierte man die Außenwandung. Der die Größe des Glases bestimmende Sandkern wurde nach dem Erkalten der Masse herausgekratzt.
Zusätze von Metalloxiden ergaben eine intensive Färbung der Masse.
Eines der ältesten vollständig erhaltenen Hohlgefäße aus Glas ist der in dieser Technik gearbeitete, meergrüne Becher von König Thutmosis III. (um 1450 v.Chr.) in der Ägyptischen Staatssammlung in München.

Eigenständige Entwicklungen in der Glasherstellung nimmt man für die Mykener, Kelten und Chinesen an.

Die **Entfärbung** der Glasmasse zu einem wasserklaren "Weiß" in der Farbe von Bergkristall gelang - in der Nachfolge assyrisch-syrischer Vorläufer - um 100 n.Chr. in Alexandria durch Zusatz von Braunstein.

Im 1. Jahrhundert v.Chr. wurde im römischen Syrien die **Glasmacherpfeife** erfunden: Ein simples, eisernes, etwa 100 bis 150 cm langes Rohr, das in die heiße Glasmasse im Ofen getaucht wird, wo es einen Posten zäher Glasmasse annimmt: Glas "klebt" ab 500 bis 600° C an Eisen. Durch Einblasen von Luft in das andere, gegen die Hitze umwickelte oder mit Holz überzogene kalte Rohrende der Glasmacherpfeife kann aus dem Kölbel wie beim Seifenblasenspiel allein durch die Lungenkraft eine dünnwandige Glasblase aufgetrieben werden. Beim Ansaugen statt Hineinblasen von Luft bilden sich "Nabel" in der heißen Glaskugel.

Die heiße Glasblase wird unter ständigem Rotieren durch mechanisches **Bearbeiten** von Hand zu Gefäßen geformt oder direkt in eine Form eingeblasen.
Zuvor überträgt man die starr am Rohr hängende Glasblase rasch auf ein metallenes *Hefteisen* in Form einer ca. 100 cm langen, massiven Rundstange mit verdicktem Ende; von jedem Umpicken bleibt ein nabelartiger Abriß zurück. Zum Halten der Verarbeitungstemperatur wird das Eisen mitsamt dem Glasrohling immer wieder in den Ofen gehalten: Die Formung von Glas muß im Gegensatz zur Töpferei stets in heißem Zustand bei schweißtreibender Rot- bis Weißglut erfolgen. Das Glas kann bei der Herstellung nie direkt mit den Händen berührt und gestaltet werden, sondern nur mittels Werkzeug aus Metall, aus Stein oder aus mit Wasser benetztem Holz. Die Bearbeitung erfolgt durch Blasen, Ziehen, Strecken, Drücken, Kneifen, Schlitzen oder Aufschneiden. Überflüssiges läßt sich mit einer Eisenschere abschneiden. Außer einzeln gefertigten Hohlgläsern können auch ganze Serien stets gleichartig geformter Hohlgläser durch Einblasen des Kölbels in metallene oder hölzerne, mit Wasser benetzte Formen erzeugt werden, die jedoch eine minimal rauhe Oberfläche aufweisen. Eine Rippung entsteht durch Einblasen in Drahtkörbe ("optisch geblasenes" Glas).
Durch Anritzen und Anschlagen oder durch Aufspritzen eines Wassertropfens sprengt man das Glasgefäß von der Pfeife oder vom Hefteisen ab. Abgesprengte und abgeschnittene Ränder runden sich weich durch Verwärmung im Ofen. Das fertig bearbeitete Glaserzeugnis muß über Tage hin in einem beheizten Kühlofen langsam abkühlen.

Das wichtigste, metallene **Werkzeug** außer *Ofengabel* und *Schöpfkelle*: Die *Pfeife*, das *Hefteisen*, die *Auftreibschere* zum Weiten, eine Art *Pinzette*, die *Kappschere* (Zwick- oder Zwackeisen), das runde *Bindeisen* zum Aufschmelzen von Glasfäden und ein hölzernes Brettchen in Spatenform als *Streichholz*.

Grundbestandteile des Glases

Kieselerde [Siliziumdioxid; Schmelzpunkt in reiner Form bei 1713° C]: Gewinnung aus Sand (in pulvriger Form), Quarz oder Bergkristall (in kristallisierter Form) und aus englischem Flintstein (amorph). Sand enthält auch Tonerde und Kalk. Quarz wird ausgeglüht und anschließend im Pochwerk zerstampft.

Flußmittel [Alkalien in löslicher Form]: Oxide der Alkalimetalle Natrium und Kalium, des Erdalkalimetalls Kalzium (Kalk) oder des unedlen Schwermetalls Blei. Gewinnung aus Pflanzenasche bzw. Mennige. Flußmittel setzen den Schmelzpunkt herab und bringen die im Ofen für sich allein unschmelzbaren Bestandteile der Glasmasse zum Fließen.

Soda [Natriumkarbonat; Schmelzpunkt bei 850° C]: Gewinnung außer durch Ergraben von natürlicher Soda im Wadi Natrun in Ägypten vor allem durch Verarbeitung von Pflanzen salziger Meeresstrände: levantinische rocchetta und spanische, zu blauem "Stein" gekochte barilla.
Soda hält die Glasmasse lange schmiegsam.
Das Produkt läßt sich hauchdünn verarbeiten, ist jedoch ungeeignet für Glasschnitt.

Pottasche [Kaliumkarbonat]: Gewinnung durch Auslaugen von Salzen aus Laubbaumasche durch Sieden in einem Kupferkessel ("Pott"). Kaligehalt von Buchenholz: 1,45%, von Fichtenholz: 0,045%. Hoher Kalkanteil. Pottascheglas ist härter als Sodaglas und damit eher für Glasschnitt geeignet.

Entfärbungsmittel, 'Glasmacherseifen' genannt: Braunstein [verursacht einen amethyst- oder rauchfarbenen Stich], Arsenik [verursacht einen Gelbstich], Salpeter oder Kalk. Der Glasmasse zugesetzt als Hilfsmittel gegen den vom Eisen im Sand verursachten Grünstich, den die Komplementärfarbe Rot optisch entfernt.

Gütesortierung: Klarglas - entfärbtes Glas - wasserklares Glas. Als Kristallglas bezeichnete man in den verschiedenen Epochen das jeweils beste wasserklare Glas.

Glasarten nach Flußmitteln:

A **Soda-Kalkglas** (auch Natron-Kalkglas oder Natronglas genannt): Gefertigt aus Quarzsand, Kalk und *Soda*. Mit bläulichem oder grauem Stich. Meist dünnwandig verarbeitet. Kalk verleiht dem Glas Glanz und Härte; er verhindert die Aufnahme von Feuchtigkeit und damit einen Massezerfall (Glaskrankheit).
Verbreitung: Mittelmeergebiet und Orient einschließlich Ägypten.
"Cristallo": Gereinigtes Natronglas; Entfärbung durch Braunstein. Verbreitung: Venedig, ab 15. Jh.

B **Kali-Kalkglas** (auch Pottasche-Kalkglas genannt): Gefertigt aus Quarzsand und kalkreicher Holzasche (= *Pottasche* = Kaliumkarbonat); in Frankreich Veraschung von Farnkraut (verre fougère). Entfärbung durch das Auslaugen der Salze beim Sieden von Waldasche. Kreide- oder Bleizusätze notwendig als Stabilisatoren (auch gegen die Glaskrankheit). Etwas weniger klar, aber härter als Soda-Kalkglas. Grünstichig. Faßt sich minimal seifig und weich an. Dickwandiger verarbeitet als Soda-Kalkglas.
Vorläufer: Grünes 'Waldglas' der Klosterhütten. Verbreitung: Mittel- und Nordeuropa, ab 10. Jh.

C *Kreideglas* entsteht durch Zusatz von Kreide [Kalziumkarbonat; für sich allein unschmelzbar] statt Kalk. Verbesserung des Pottascheglases. Erfunden um 1680 in Böhmen ("Böhmisches Kristallglas").
Glas mit hoher Lichtbrechung und vollem Klang. Nahezu farblos auch bei größerer Dicke, manchmal mit minimalem Grünstich. Relativ schwer und dickwandig. Gut zu schneiden, im Schnitt silbrig, aber ohne 'saftigen' oder feurigen Glanz.

D Mischform *Natron-Kaliglas*. Oft dünnwandig. Nur durch naturwissenschaftliche Analysen bestimmbar.

E **Bleiglas** (heute vielfach "Kristallglas" genannt): Gefertigt aus Quarzsand, Pottasche und Bleioxid statt Kalk (= Mennige; mindestens zu 23 %). 1676 von Ravenscroft in England erfunden. Weich, sehr schwer, völlig rein und stark glänzend; im Schnitt feurig blitzend. Für Glasschliff hervorragend geeignet.
Auf dem Kontinent erstmals 1781 in Lothringen gefertigt.
Verbreitung: Mittel- und Nordeuropa.

Grundtypen der Glasmasse: transparent [klar, farbstichig] oder nicht transparent [= opakes Farbglas, Glaspasten]. Keine der unter A bis E genannten Glasarten ist allein nach dem optischen Eindruck bestimmbar.

Bearbeitungstechniken

Formung am Schmelzofen durch *Glasmacher*: Verarbeitung von ein- oder mehrfarbigem, heißem Glas. Applizierungen durch Aufschmelzen von Nuppen oder Glasfäden ("Auflagen"), Anschmelzen von Füßen etc. Ausziehen dünner, farbiger Auflagen mit einem spitzen Eisen zu gefiederten Mustern. Einstechen von Luftblasen mittels eines in Wasser getauchten Nagels oder Hölzchens (Verdampfung im Glas).

Blasen und Bearbeiten niedrigschmelzenden Glases durch *Glasbläser* "vor der **Lampe**" statt am Ofen (= Gebläselampe; Blasebalg). Heimarbeit. Leicht erweichbare Schmelze durch Tonerdezusätze: Kein Kristallisieren, keine Entglasung bei erneuter Erhitzung. Da das Umpicken entfällt, fehlt ein Abriß. Verarbeitung - vielfach von Farbglas - durch Aufblasen und Anschmelzen. Nadeln und Zangen als Arbeitsgeräte. Angewandt in Venedig; seit dem 17. Jh. in Deutschland. Auch 'Glasspinnen' in Form ausgezogener Fäden.

Warme und kalte **Veredelung** innerhalb der Glashütte:

Marmorierung der Masse durch Verschmelzen und Verrühren verschiedenfarbigen Glases.

Fadenglas: Streifige Musterung durch Aneinanderschmelzen farbiger Stäbe oder von parallel geführten oder genetzten Fäden, z.B. als Milchglaseinlage. Gedrehte Muster durch Tordieren der Glasblase.

Eisglas: Eisartige Craquelé. Entweder erzielt durch Abschrecken der Masse in kaltem Wasser oder durch Rollen des Kölbels auf - auch farbigen - Glassplittern mit anschließendem Verwärmen.

Überfang verschiedenfarbiger Glasblasen vor dem Glasofen; als Innen- oder Außenüberfang. Kameoglas.

Veredelungsmethoden außerhalb der Glashütte:
Diamant**gerissene**, lineare Verzierung des kalten Glases; ab 1534. - Diamant- und Stahl**punktierung**.

Bemalung

1. *Kaltmalerei*. 'Kalt' aufgemalte Ölfarben mit Harzzusätzen. Kein Aufbrennen. Wenig beständig.
2. In kleinen Muffelöfen (in Venedig: innerhalb der Hütte)aufgebranntes *Gold* oder *Silber*. Auch als Einlage. Zeichnung durch Gravierung, Glanz durch schwaches Polieren. Empfindlich gegen mechanische Einflüsse.
3. Aufgebrannte *Schwarzlot*malerei. Stumpfe Oberfläche. Relativ unempfindlich.
4. Mit dem Pinsel aufgetragene und in einem Muffelofen bei ca. 500° C aufgebrannte, opake *Emailfarben* aus färbenden, auch trübenden Metalloxiden. Flußmittel: Quarz und Pottasche. Unlöslich.
5. *Transparente Emailfarben*: Durch größeren Anteil von Flußmitteln als bei Emailfarben.

Glasschliff

Radschliff am kalten Glas. *Ab*schleifen von Facetten; *Ein*schleifen z.B. von Muscheln oder Kugelungen. Anpressen des Glases an große, waagrecht schnell rotierende Eisenscheiben (für alle ebenen Glasflächen). Antrieb durch Radzieher am Schwungrad oder mechanisch durch Wasserkraft. Bearbeitung unter Verwendung von Schleifpulver (Sand, Schmirgel) und Wasser.
Zierschliff an den Kanten großer, senkrecht laufender Stein- und Holzräder.
Abstufungen: Rauh- oder Grobschliff, Rein- oder Klarschliff.
Polieren und Blänken durch Bimsstein, Zinnasche, Kork, Filz, Leder sowie Blei- oder Holzscheiben.
Einteilung der Werkleute in Eckigreiber / Facettenschneider und Kugler (Kugeln und Oliven).
Schlifformen: Arkaden-, Augen-, Brilliant-, Flächen-, Haar-, Hohl-, Keil-, Kugel-, Oliven-, Ornament-Rauten-, Schäl-, Stern-, Strahlen-, Turban-, Waben- und Walzenschliff. Steinelungen, Brillantierung.

Glasschnitt

Radschnitt am kalten Glas mit kleinem und deshalb mobilem, relativ langsam rotierendem Schneidgerät.
Tiefschnitt: Versenktes Eingravieren ("Schneiden") von Dekormustern durch ein mittels einer Tretvorrichtung angetriebenes, horizontal rotierendes Kupferrädchen unter Verwendung von Öl und Schmirgel. Das Glas wird -bei eingeschränkter Sicht- frei von Hand gehalten und nach Augenmaß verziert; allenfalls Andrücken einer Zeichnung oder eines Kupferstichs an die Innenwandung des Glases. Stets Mattschnitt.
Halbmatter Schnitt durch Einsatz von Holzrädchen. *Polierter* Schnitt durch Verwendung von Bleirädchen.
Gerutschter Mattschnitt: Flaches Aufrauhen der Oberfläche statt Einschneiden von Dekor.
Hochschnitt: Mühsames, schleifendes Abtragen des Reliefgrundes; nur bei Kreide- und Bleiglas anwendbar. Entspricht der Kameotechnik des Steinschnitts, war ebenfalls Hofkunst. Erste wassergetriebene Schleifwerke in Schlesien (ab 1680), Potsdam (1687), Kassel (Ende 17. Jh.) und Dresden (1697).

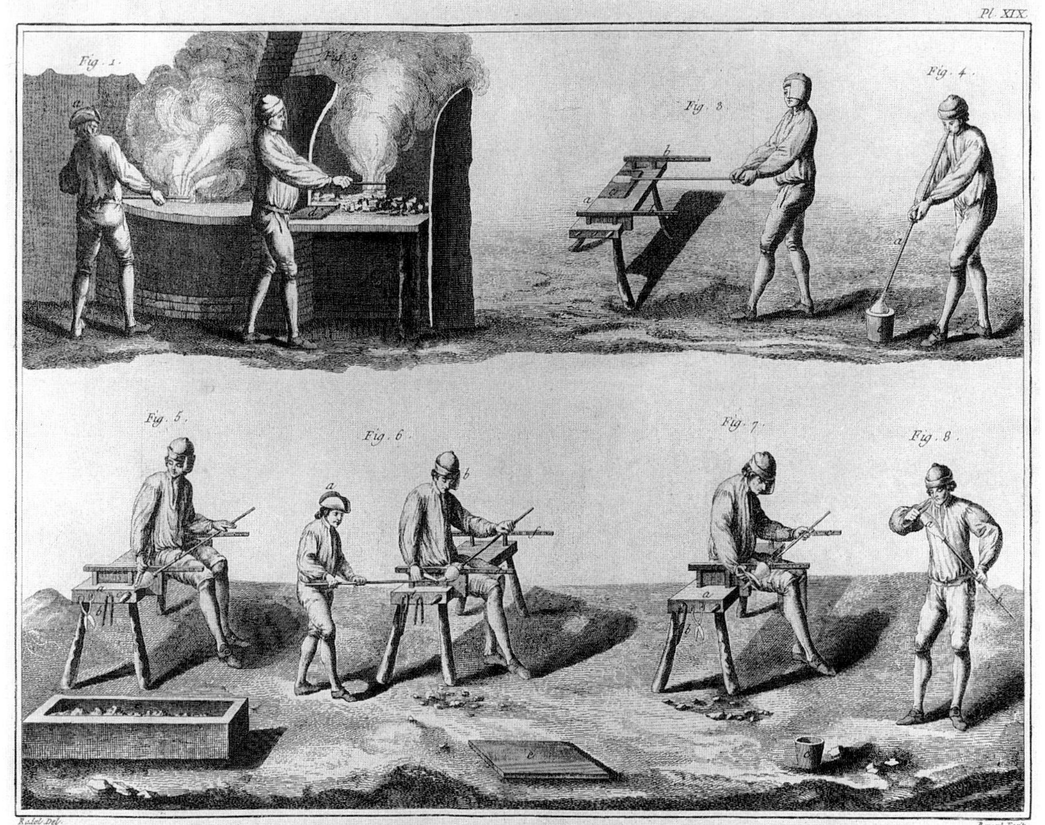

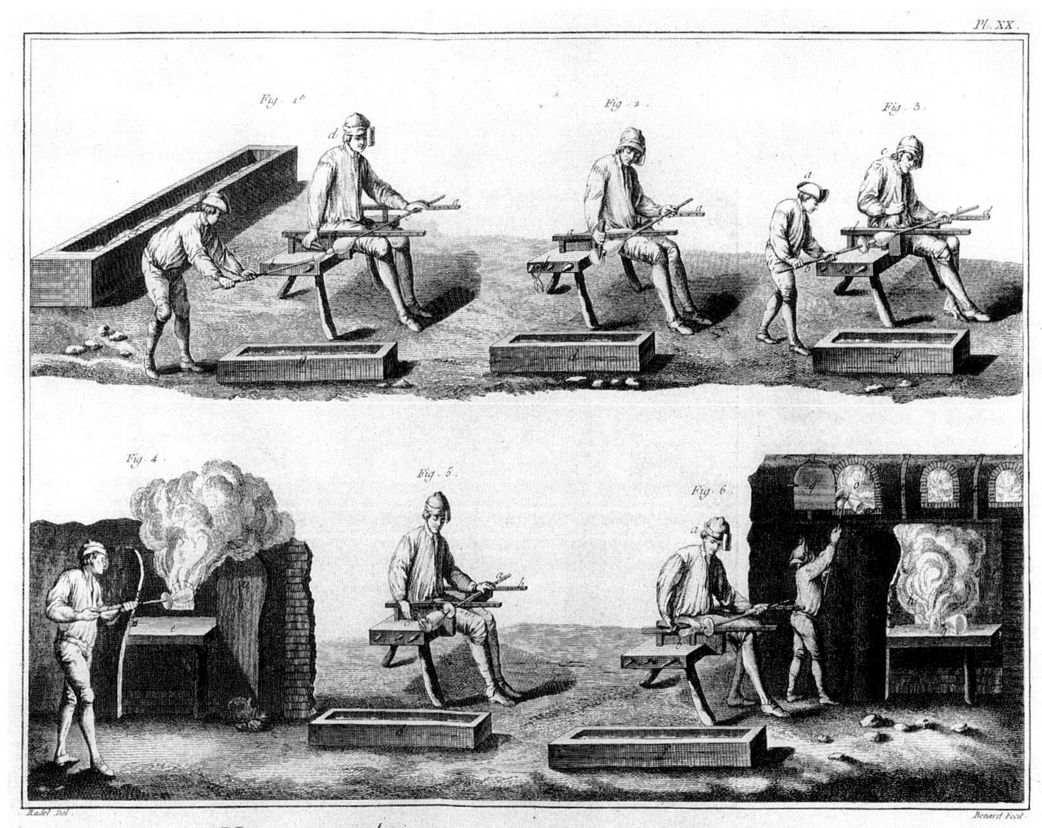

H e r s t e l l u n g e i n e s G l a s p o k a l s (aus: Encyclopédie, ou dictionnaire raisonné des sciences, des arts et des métiers … publié par [Denis] Diderot et [Jean le Rond] D'Alembert …, Recueil de planches, sur les sciences, les arts libéraux, et les arts méchaniques, Band X, Paris 1772, Verrerie, Tafel XIX und XX)

Soziologisches

In Mitteleuropa bestanden hervorragende Bedingungen für eine Glasherstellung durch große Vorkommen von Holz, Quarz und Sand, dazu Lehm für feuerfeste Schmelzöfen, feuerfester Ton für die Glashafen und das unentbehrliche Wasser. Aber auch geschickte Handwerker in den Hütten wie in kleinen Veredelungsbetrieben und ein gewaltiger Verwendungsbedarf sicherten die Produktion. In den Waldglashütten schlug man im Winter das Holz, im Sommer fertigte man Glas. Kohle als Feuerungsmaterial wurde erst im 18. Jh. eingeführt.

Die jahrhundertelang in kulturarmen *Waldgebieten* Deutschlands im Spessart, Thüringer Wald und Fichtelgebirge, im Bayerischen und Böhmischen Wald, im Erzgebirge, im Riesen- und Isergebirge verstreute Glasproduktion verlagerte sich in der 2. Hälfte des 16. Jahrhunderts auch in Randgebiete *städtischer* Kunstzentren. Nach dem Vorbild des Edelstein-, Halbedelstein- und Bergkristallschnitts dominierte im 17. und 18. Jahrhundert außerhalb Italiens der Glasschnitt als neue Verzierungsart, der das Monopol der Venezianer brach.

Charakteristisch für das Glashandwerk war die starke **Spezialisierung**. Es gab Aschenbrenner und Holzfäller, Scheithacker und Flußsieder, Kiespocher, Ofenbauer und Hafenmacher. Zu den eigentlichen Glasmachern zählten die Ofenschürer, die Vorbläser, Aufbläser, Strecker und Fertigmacher. Notwendig waren auch Hüttenschreiber, Lagerhalter, Einbinder (Verpacker) und Träger. Fuhrleute und Glashändler (letztere manchmal zugleich Glasschneider am Ort des Verkaufs) gehörten nicht zum Hüttenpersonal.
Die von selbständigen Meistern geführten Hütten, spezialisiert auf grünes oder weißes, Flach- oder Hohlglas, hatten sich teilweise genossenschaftlich organisiert. Glasmeister und Hüttenherr waren oft identisch; allenfalls mußten Glasmacher auf fremdem Grund einen Hüttenzins, also Konzessionsgeld, sowie Forstgeld bei einer Holzentnahme bezahlen.
Weiterverarbeitende **Glasveredler** außerhalb der Hütten, oft im Familienverband: Glasmaler (Emailmaler, außer in Venedig); Glasschneider; Glasschleifer und Glaspolierer; Glasbläser vor der Lampe; Spiegelmacher; Glaser. Im 19. Jahrhundert etablierten sich auf individuelle Techniken spezialisierte Kleinbetriebe.
Durch *Heimarbeit* unabhängig von den Hütten waren als Veredler von Rohware die meisten Glas*schneider*, darin verwandt den "Hausmalern" bei Fayence und Porzellan. In Nürnberg und Berlin schlossen sie sich sogar zu Innungen zusammen. Die Anonymität der Hüttenarbeiter wurde dabei aufgehoben (Signaturen). Auf eigene Rechnung arbeiteten auch Glas*schleifer*, die in der Regel einen aufwendigen Wasserantrieb benötigten.

Der bei Waldglasbetrieben auch durch den Kahlschlag der Holzvorräte bedingte **Wandertrieb** der Glasmacher führte insbesondere im 16. Jh. zu einer raschen und weiten Verbreitung der Kenntnisse von der Glasherstellung, obwohl in Venedig das Verlassen einer Hütte als Arkanumverrat schwer bestraft wurde. Die Weitergabe des Fachwissens innerhalb der Familien über Generationen hin ließ andererseits spezielle Glasmachersippen entstehen. Auffällig war die internationale Belegschaft der Hütten, z.B. durch Italiener oder Böhmen. Selbst im Mittelalter gab es unter den Glasmachern (f r e i e Handwerker ohne maschinelles Hilfsgerät) keine Leibeigenen. Bereits Kaiser Konstantin hatte im Jahre 336 die Glasmacherkunst zu einer privilegierten Arbeit erhoben. Der Stolz der Glasmacher bis hin zum Hochmut war sprichwörtlich wie später bei den "Porzellanern", die im Gegensatz zu Bauern und Bürgern ebenfalls einen Degen tragen durften. In Venedig erlaubte man ihnen seit dem 16. Jh., z w e i Messer im Gürtel zu tragen; Ehen zwischen Glasmachertöchtern und Nobili wurden zugelassen und deren Nachkommen durch Gesetz für adlig erklärt. In Frankreich erhielten die Glasmacher im Mittelalter unerhörte Privilegien als "Gentilshommes verriers": Der Glashüttenmeister wie auch seine Glasarbeiter wurden mit dem Geburtsadel gleichgestellt, man billigte ihnen die Rechte (nicht aber die Pflichten) der Edelleute zu wie das Vorrecht der hohen und niederen Jagd, das Recht zur Fischerei und zum Tragen von Waffen. Im Gegensatz zum Adel waren die französischen Glasmacher darüber hinaus von der Heerfolge im Krieg befreit und ebenso von Steuern. Diese Sonderstellung (die an das Verbot von Friedrich d.Gr. erinnert, Meißener Porzellaner zu rekrutieren) stieß auf Widerstand beim Adel wie bei den Bauern.

Den **Vertrieb** besorgten nicht die Hersteller, sondern Glasträger mittels Kiepe oder Schubkarren, dazu die Hausierer; ein Verkauf erfolgte auch auf speziellen Märkten. Herstellung und Vertrieb trennte man strikt. Fuhrwerke setzte man erst spät ein, als sich der Straßenzustand besserte. "Verleger", reine Handelsleute, kauften Rohglas auf, das sie von Dritten verzieren ließen, um es dann selbst zu verkaufen und zu versenden.

Einfaches Gebrauchsglas blieb - trotz riesiger Produktion seit dem 15. Jh. - fast nur aus neuerer Zeit erhalten. Besonders kostbare Gläser aus nachmittelalterlicher Zeit dienten kaum jemals zum Gebrauch außer beim Willkomm: sie standen als Schaustücke und Ziergerät beim Prunkgeschirr aus Edelmetall auf der Kredenz. Fast alle Hohlgläser von nicht zu einfacher Form und Arbeit wurden für begüterte Käufer vor allem der Oberschicht gefertigt; nicht selten tragen sie das Wappen oder den Namen des Eigentümers oder Beschenkten. Etliche Gläser im Museum sind mit den Namen berühmter Männer als frühere Benutzer verbunden wie den Wittelsbachern, Goethe, Schiller, Jean Paul, Friedrich d.Gr. oder Kaiser Maximilian von Mexiko.

Venezianische Gläser

Das hoch entwickelte römisch-antike Glas mit einer Massenproduktion und Spitzenleistungen wie den geschliffenen Diatretgläsern [München, Museum für antike Kleinkunst] fand eine Nachfolge im fränkisch-germanischen Glas, gefertigt zumeist wohl auf dem Gebiet des heutigen Belgien (ca. 400 - 700 n.Chr.).
Das Zentrum der Glasfabrikation verschob sich danach erneut in den durch den Islam erstarkten Orient [großer Emailglasbecher in Saal 5 im Erdgeschoß, gefertigt im 13. Jh. in Damaskus oder Aleppo].

Das Abendland zeigte sein Können in der Glasfertigung im Mittelalter vor allem bei der Herstellung riesiger, farbiger Glasfenster für Kirchenbauten. Hohlgläsern kam eine mindere Rolle zu durch ihr im Gegensatz zu edlen Metallen nicht als wirklich kostbar erachtetes Material, das auch den Meßwein nicht aufnehmen durfte.
Im 13. Jh. verlagerte sich die Glasfabrikation aus den Klöstern in neu gegründete, wegen rascher Abholzungen umherwandernde Waldglashütten, die sich im Spessart im Jahre 1406 zu einer Zunft zusammenschlossen [zahlreiche mittelalterliche Gläser aus Waldglas in Saal 5 im Erdgeschoß].

Mindestens seit dem 10. Jh. stellte man auf dem Gebiet von **Venedig** Glas her, wohin nach 1204 byzantinische Glasmacher geholt wurden und weitere angeblich nach dem Fall Konstantinopels im Jahre 1453. Schon im 7. Jh. gab es auch Öfen auf Torcello. Im Jahre 1271 existierte bereits eine Zunft der Glasmacher in Venedig. Wegen eines Verbots der Errichtung weiterer Glasöfen in Venedig konzentrierte sich nach 1291 die Glasfertigung auf der nahen, 1171 eingemeindeten Insel **Murano**, wo auch eigene Münzen geschlagen werden durften. Weiße Kieselsteine lieferte der nahe Fluß Ticino. Hier entdeckte man erneut das antike Rezept der fast völligen Entfärbung des Glases durch Manganoxid.

Das zarte, oft ungemein dünnwandige, wasserklare venezianische Sodaglas, teilweise mit hauchdünner Goldauflage, zumeist aber zugunsten der Form nur sparsam dekoriert, muß jahrhundertelang in unvorstellbaren Mengen produziert worden sein, darunter Glasperlen und Paternosterkugeln. Sogar aus Regensburg bestellte man bereits im Jahre 1398 Scheibenglas. Die unverschnörkelte, klare und anmutige Gestaltung der venezianischen Renaissancegläser vereint aufs feinfühligste Ästhetisches und die Benutzbarkeit. Weingläser hielt man vorsichtig am Fußrand; in der Barockzeit umfaßte man wie noch heute mit den Fingern den Schaft.
Als dem deutschen Kaiser Friedrich III. (1452-1493) ein kostbarer Glas- statt Goldpokal in Venedig als Huldigung überreicht wurde, ließ ihn der Enttäuschte absichtlich fallen mit den Worten: "Ey wenn es gülden were, so köndte man die brocken wider zu nutz machen". Das Inventar König Heinrichs VIII. von England nennt im Jahre 1542 bereits etwa 450 venezianische Gläser. König Heinrich III. von Frankreich (1575-1589) verlieh den Muranesen das Privileg des Degentragens.
Auch Herzog Wilhelm V. von Bayern kaufte 1574/76 Glas aus Murano. Sein Sohn, der spätere Kurfürst Maximilian I. von Bayern, hielt sich als Erbprinz drei Tage lang vom 24. bis 26.3.1593 auf Murano auf.

Schon im Jahre 1280 schliff man in Venedig Glas. In der Mitte des 15. Jh. kam eine Fülle erlesenster Farbgläser, ferner der dickwandige "cristallo" sowie ab 1534 der Diamantriß hinzu. Im 13. und 14. Jh., zwischen ca. 1460 und 1540 sowie nochmals im 18. Jh. brannte man (am Ort der Hütte?) auch bunte Emaildekore auf. Allein im Jahre 1550 werden 25 Hütten in Murano aufgezählt, 1568 waren es 37.
Unser Wissen von der Geschichte des venezianischen Glases, das viele Jahrhunderte lang das erlesenste Glas der Europäer war, ist relativ gering und lückenhaft. Kein einziges Glas aus den Öfen von Murano nennt vor dem 18. Jahrhundert durch eine Aufschrift oder sonstwie seinen Herstellungsort; kaum eines ist fest datiert. Das älteste erhaltene, sicher in Venedig gearbeitete Glas stammt erst aus der Mitte des 15. Jahrhunderts.

Trotz der neu eingeführten Produktion von Kali-Kalk-Glas nach böhmischer Art, das sich auch durch Schnitt verzieren ließ, wanderten im 18. Jahrhundert viele Fachleute aus. Im Jahre 1725 erloschen 20 Öfen auf einmal; im Jahre 1797 existierten trotzdem noch 46 Öfen mit 640 Flammen.

Außer in Venedig gab es Glashütten auch in Ancona, Bologna und Brescia, in Ferrara, Florenz und im Florentinischen, in Genua, Mailand, Mantua und Neapel, in Padua, Parma und Pisa, im Ravennatischen, in Rom, in Treviso, Trient, Turin, Verona und Vicenza sowie an vielen anderen Orten.

Völlige Ungewißheit besteht über die Produktion der seit dem 13. Jh. nachweisbaren Glasmacher des Ortes **Altare** bei Genua im Herzogtum Montferrat. Die hier ansässige Università dell' arte vitrea, eine Innung, machte es ihren Mitgliedern zur Pflicht, als Gastarbeiter irgendwo in Europa Glas zu fertigen und alljährlich zu ihren Familien zurückzukehren, während zur gleichen Zeit in Venedig selbst der Familie eines Flüchtigen die härtesten Strafen drohten. Der fast missionarische Eifer der Altaristen führte vor allem im 16. Jahrhundert zu zahlreichen Hüttengründungen im Norden Europas. Kein einziges Glas kann bisher jedoch einem Altaristen zugewiesen werden.

Façon de Venise, 16.-17. Jahrhundert

Alle in venezianischer Art gearbeiteten Gläser, die oft allein wegen minderer Perfektion und Qualität nicht der Produktion in Murano zugeschrieben werden, faßt man unter dem Sammelbegriff Verre à la façon de Venise zusammen, "Cristallynenglas auf Venedische Ahrtt" (ebenso richtig wäre: Verre à la façon des Altaristes).

Eine genauere Lokalisierung der nördlich der Alpen von Italienern statt von Einheimischen gefertigten Hohlgläser ist nur selten möglich. Klare Gruppenbildungen wie bei den Tiroler Erzeugnissen der Renaissancezeit gelingen nur selten und meist nur mit Hilfe des Glasdekors.
Von den Produkten der zahlreichen, oft nur kurzlebigen Venezianerhütten in Deutschland scheint kaum etwas erhalten zu sein mit Ausnahme der Hohlgläser aus Tirol und aus Kassel.
Das meiste Glas "à la façon de Venise" fertigte man wohl in Antwerpen (Muranesen), Brüssel und Lüttich (Altaristen).

Niederländische Gläser, 17.-18. Jahrhundert

Umfangreich muß die bis in das späte 17. Jahrhundert von Muranesen und Altaristen abhängige Glasproduktion in den südlichen und nördlichen Niederlanden gewesen sein (heute: Belgien und Niederlande).

Im 16. Jahrhundert wirkten nördlich der Alpen insbesondere Niederländer als Vermittler italienischer Kunst, deren Stil und Prinzipien sie abwandelten und entscheidend weiterentwickelten, in der Musik wie bei den bildenden Künsten, aber auch beim Kunstgewerbe (Fayence). Anscheinend wurde die Glasmacherkunst weiter Teile Europas ebenfalls entscheidend von dieser Transponierung italienischer Vorbilder beeinflußt. Zwar fiel Murano selbst als Schulungsort aus, aber die niederländischen Glasmacher konnten von im Süden und Norden ihres Landes arbeitenden Italienern lernen, unter denen sich viele Altaristen befanden.

Im *Süden* sind vor allem Antwerpen (gegründet 1549), Brüssel, Beauwelz und insbesondere Lüttich zu nennen, im *Norden* Middelburg (gegründet 1531) und Amsterdam.
Eine genauere Lokalisierung niederländischer Gläser des 16. und 17. Jahrhunderts gelingt jedoch selten.

Charakteristisch waren im 17. Jh. vor allem Flügel- und Schlangengläser nach venezianischem Vorbild sowie "Berkemeyer": Römer mit weiter Trichterkuppa und großen flachen Nuppen.

Bewunderungswürdige Leistungen der Niederländer auf dem Gebiet der Glaskunst sind die im 17. Jahrhundert mit dem Diamanten **gerissenen Dekore** (statt der in Deutschland verbreiteten Emailmalerei) und aus dem 18. Jahrhundert die hauchzart mit dem Diamanten **gestippten Darstellungen**. Das ausschließlich in den Niederlanden nachweisbare "Stippen" erfolgt durch rasches Aufklopfen eines an einem Griffel befestigten Diamanten; die Verteilung von Licht und Schatten ergibt sich durch unterschiedliche Größe und Häufung der eingeschlagenen Punkte. Berühmt sind u.a. meisterhafte Porträtwiedergaben.

Die Technik des Diamantreißens übten auch hoch begabte Dilettanten aus, darunter drei herausragende Frauen: Anna Roemers-Visscher und deren Schwester Maria Tesselschade (1594-1649) sowie Anna Maria von Schürmann (1607-1678).

Bedeutendste Diamantreißer: Anna *Roemers-Visscher* (Amsterdam; 1583-1651), Willem Jacobz *van Heemskerk* (Leyden; 1613-1692; Leinenhändler; virtuose Kalligraphendekore) und Willem *Mooleyser* (Amsterdam; datierte Arbeiten zwischen 1685 und 1692).

Bedeutendste Stipper: Frans *Greenwood* (Rotterdam / Dordrecht; 1680-1762), Aert *Schoumann* (Den Haag / Dordrecht; 1710-1792) und David *Wolff* d.Ä. (Den Haag; 1732-1798).

Außer bei der Glasveredelung unterlag das niederländische Glas im 18. Jahrhundert dann englischem Einfluß. Glasschnitt wurde in diesem Jahrhundert in den Niederlanden zumeist durch Deutsche ausgeübt (Familie Sang). Niederländische Vorbilder wiederum hatten im 17. Jh. auf die Nürnberger Glaskunst eingewirkt.

Französisches Glas

In Frankreich, wo erlesenste farbige Kirchenfenster im Mittelalter in Fülle gefertigt wurden, entstand bis zum 19. Jahrhundert hin erstaunlich wenig technisch und künstlerisch hoch veredeltes Hohlglas.
Lodovico Gonzaga wurde durch Heirat im Jahre 1562 auch Herzog von Nevers, was Altaristen nach Frankreich führte, deren Arbeiten die französische Glasproduktion lange Zeit bestimmten.
Emailglas stellte man schon 1511 in Lyon her. 1585 wurde die Hütte in Nevers gegründet, die unter anderem berühmte bunte Glasfiguren fertigte. Bernard **Perrot**, der Erfinder des gegossenen Flachglases, gründete 1662 die Hütte in Orléans. Völlig im Ungewissen sind wir über das Aussehen des Lothringer Glases, das in riesigen Mengen hergestellt und wohl auch nach Süddeutschland exportiert wurde.

Spanisches Glas

Bereits in römischer Zeit wurde auf der iberischen Halbinsel Glas hergestellt und ebenso während der arabischen Herrschaft (ab dem Jahre 711. Almería, Málaga, Murcia). Orientalischer Einfluß prägte auf Jahrhunderte hin das spanische Glas. Häufig läßt es sich allein bestimmen durch für Spanien charakteristische, bizarre Gefäßformen wie *càntir* und *porró* bei den Weingefäßen oder beim Rosenwassergefäß *almorratxa*.
Die in Alicante fabrizierte, berühmte barilla (Strandpflanzenasche) verkaufte man für die Herstellung von Sodaglas weithin in Europa, im 16. Jahrhundert auch nach Deutschland.
Im *katalonischen* Barcelona fertigte man schon um 1500 hoch gerühmtes, dünnwandiges und besonders klares Glas mit Gold- und Emailfarbendekor. Die spanischen Hütten der Renaissance lehnten sich eng an das venezianische Vorbild an und verkauften ihre Produkte sogar nach Italien; teilweise waren Venezianer an der Herstellung beteiligt; emailbemaltes Glas entstand in großer Zahl und ebenso Faden- und Netzglas, daneben auch recht grobe Ware. Seit der Mitte des 17. Jahrhunderts verlor das katalonische Glas an Bedeutung.
Weitere Zentren der spanischen Glasfabrikation befanden sich in Andalusien und Kastilien.
Die *andalusischen* Erzeugnisse, oft bizarr in der Form durch exzentrische Häufung von Henkeln und durch utriert gekniffene Fadenauflagen, gehören nach der Qualität der Glasmasse wie der Formen eher zur Gruppe volkstümlichen Landglases (Almería, Granada, Sevilla).
Die königliche Glashütte im *kastilischen* La Granja de San Ildefonso (nordwestlich von Madrid) bestand ab 1736; teilweise vergoldeter Schliff sowie Schnittdekor und auch die Glasformen zeigen enge Verbindungen mit deutschem Glas auf; zugleich fertigte man hier auch hervorragende Spiegel. Ausgewanderte deutsch-böhmische Glasmacher arbeiteten im 18. Jahrhundert auf der iberischen Halbinsel in ihrem gewohnten Stil weiter.

Englisches Glas

Venezianer und protestantische Lothringer Glasmacher stellten in England trotz großen Holzmangels seit der Mitte des 16. Jahrhunderts Glas in venezianischer Art her. Im Jahre 1615 verbot man aus Sorge um den Schiffbau endgültig das Verheizen von Holz in Glasöfen. Dies erzwang ein Feuern mit Steinkohle. Quarz wurde bei der Glasherstellung in England aus Flintstein gewonnen.
Im Jahre 1573 erlaubte die Königin dem über Antwerpen aus Amsterdam eingewanderten, aus Venedig gebürtigen Giacomo *Verzelini* (1522-1606), in London eine Glashütte zu betreiben. Wie in Tirol wurde auch das frühe, in etlichen Beispielen erhaltene Londoner Glas mit dem Diamanten gerissen und vergoldet.
Im Jahre 1676 stellte in London George *Ravenscroft* (1618-1681) erstmals **Bleiglas** her. Er war von Beruf Schiffseigner; 1673 erbaute er sich in London eine Glashütte, wobei ihn vor allem die Technologie interessierte. Gläser seiner Hütte tragen ein aufgeschmolzenes Glassiegel mit einem Rabenkopf.
Seit der Thronbesteigung des Oraniers (1689) lieferte England anscheinend in sehr großen Mengen Rohglas in die Niederlande, wo man es nachdekorierte.
Das ein wenig derbe englische Glas zeigt eine eigene Formensprache, insbesondere bei Weingläsern, deren Kuppa wegen der unmäßigen Besteuerung von Wein oft nur die Größe eines Schnapsglases hat. Charakteristisch für die Jahre zwischen 1745 und 1780 sind eingestochene, tordierte Luftblasen (Luftspiralen) und Milchglasspiralen in langen Stengelschäften. Um 1720 kam Emaildekor auf, den die Geschwister *Beilby* aus Newcastle am besten beherrschten. Glasschnitt einfacher Art fertigte man erst im 18. Jahrhundert.
Bedeutender war der um 1760 aufgekommene, facettierende **Glasschliff**. Brilliantschliff in der Form eingekerbter Furchen, der im 19. Jh. so große Bedeutung erlangte, kam 1770 auf. Auf dem Kontinent lernte man die neue Technik auch durch Importe englisch-irischer Lüster kennen. In Irland verlegte man die Glashütte Stourbridge im Jahre 1784 nach Waterford. So wie Josiah Wedgwood durch seine an der Antike orientierte Keramik die Staatsmanufaktur Sèvres in große Bedrängnis brachte, führte der englisch-irische Glasschliff auch zu einer Wandlung der französischen Glasproduktion; er strahlte bis Böhmen aus (gesteinelter Schliff).
Eine bedeutende Rolle kommt England in der Glasproduktion des 19. Jahrhunderts zu; in der Massenfertigung spezialisierte man sich auf das 1827 in den USA erfundene Preßglas.

Tiroler Gläser, 16.-17. Jahrhundert

Im Mittelalter scheint man in Tirol kein Glas erzeugt zu haben. Höfische Tiroler Gläser der Renaissancezeit blieben jedoch in vielen, kostbaren Trinkgefäßen erhalten.

Aus dem 16. und frühen 17. Jahrhundert besitzen wir viel Aktenmaterial über die Glasproduktion in Tirol, die wie anderes Kunsthandwerk am Hofe der Habsburger in mancherlei Hinsicht entscheidende Anstöße gab: vielleicht auch bei der Entwicklung der deutschen nachmittelalterlichen Glasmacherkunst (Böhmen).
Soda bezog man über Genua aus Spanien, aber auch aus Venedig. Scherben zerbrochener Gläser wurden aufgekauft und wieder in die Schmelze gegeben.

Bisher ist es kaum möglich, schriftliche Quellen und erhaltene Gläser in gesicherten Bezug zueinander zu bringen.

Folgende, vom Landesfürsten geförderte Hütten sind belegt:

Hall, Hütte des Wolfgang Vitl aus Augsburg: 1534-1540. Betrieben durch italienische Glasmacher.
Hütte des Sebastian Höchstetter: 1540-1569.
Hütte des Dr. Johann Chrysostomus Höchstetter: 1569-1599. Diamantgerissener und farbiger Dekor vielleicht in Innsbruck zugefügt.
Hütte des Dr. Hieronymus Höchstetter und (seit 1603 bzw. 1605) Paul Kripp: 1599-1615; Auflassung der Hütte erst 1635.

Innsbruck, Hofglashütte des Erzherzogs Ferdinand II.: 1570-1591. Produktion für den Hof. Betrieben durch vor allem venezianische Glasmacher.

In Hall und Innsbruck 1572-1590: Glasmacher Antonio Montano aus Altare.

Kramsach, Hütte von Gilg Schreyer und Gerardo Girardi: seit 1627. Auflösung der Hütte: 1936.
Um 1730 existierte in Tirol »Nahe bei der Stadt Schwaz eine gute Glashütte, in welcher vielerley Geschirre und eine große Menge Fensterscheiben gefertigt werden« (Joh. Georg Keyßler, Neueste Reisen..., 2. Aufl. Hannover 1751): wohl auf *Kramsach* / Rattenberg zu beziehen.

Die erhaltenen Tiroler Gläser der Spätrenaissance sind vielfach aufwendig verziert. Sie gehören ihrer hohen Qualität wegen zum Besten aus dem Bereich von Façon-de-Venise.
Für die Dekorierung verwendete man kalt aufgemalte Lackfarben (auch auf der Rückseite in Eglomisé-Technik), ferner reiche Vergoldung und die 1534 von Vincenzo di Angelo dall Gallo in Venedig erfundene Diamantgravierung.
Da Haller Gläser nur selten Jahreszahlen tragen, kann eine genauere Datierung oft nur annährungsweise erfolgen.
Trotz offensichtlich umfangreicher Eigenproduktion klagte man 1573 in der Haller Hütte, man erleide durch massenweise Einfuhr böhmischen Glases nach Tirol großen Schaden.

Jahrzehntelang wurde vergeblich eine Lokalisierung von zahlreich erhaltenen, in der zweiten Hälfte des 16. Jahrhunderts gefertigten Emailgläsern mit aufgemalten, zumeist süddeutschen und Tiroler *Wappen* versucht; viele dieser Wappengläser, meist in Stangenform, dürften in Tirol entstanden sein.
Emailmalerei läßt sich durch die Sarepta des Pfarrers Johann Mathesius (1504-1565) vor 1562 im Spessart nachweisen, dann auch in Böhmen; aber bereits im Jahre 1558 lieferte die Haller Hütte dem Erzherzog nach Prag "schön *geschmelzt* glesern trinkgeschirr".

Auch in **Bayern** arbeiteten im 16. Jahrhundert etliche z.T. herzogliche, meist von Italienern betriebene Glashütten, eine davon bis 1580 in *Landshut* (Bernard Schwartz / Bernhard Swerts, aus Antwerpen), eine weitere mindestens zwischen 1584 und 1593 in *München* in der Graggenau (Giovanni Scarpoggiato aus Venedig).

Deutsche Emailgläser, 17.-18. Jahrhundert

Farben aus *Metalloxiden*, versetzt mit *Fritte* [Quarz und Pottasche] und verrieben mit *Terpentinöl* [das im Feuer rückstandslos verfliegt] lassen sich bei relativ schwachem Feuer in kleinen Muffelöfen haltbar als *opaker*, glänzender Dekor auf Glas einbrennen, mit dessen Oberfläche sie sich durch die Flußmittel glasig verbinden. Schwierig oder gar nicht herzustellen sind Halbtöne, was eine kräftige Farbigkeit des Dekors zur Folge hat.
Wohl auch um Arbeitszeit zu sparen, verzichteten die Maler oft auf kleinteilige Details und erzielten auch dadurch in Verbindung mit der sehr beschränkten Farbskala einen plakativen, fast naiven Effekt.

Die schon vom römisch-antiken und vom islamischen Glas her bekannte Technik läßt sich in der wahrscheinlich venezianischen Aldrevandinus-Gruppe bereits im 13. Jahrhundert nachweisen [2 Fragmente in Saal 5 im Erdgeschoß].
In Venedig wurde die Emailbemalung in der Mitte des 15. Jahrhunderts zu einer der wichtigsten Techniken des Glasdekors entwickelt.

1531/34 scheiterten drei Nürnberger beim wohl ersten Versuch in Deutschland, Emailglas zu fertigen. Etwa seit der Mitte des 16. Jahrhunderts beherrschte man die Emailglastechnik vor allem in Böhmen.

Biergläser mit großen glatten Wandungsflächen, die seit der Mitte des 16. Jahrhunderts als Nachfolger der zierlichen, für Wein bestimmten Krautstrünke auf den nach Mathesius (1562) *unfletigen großen Humpen* zur Verfügung standen, waren Voraussetzung für solchen aufgemalten Dekor.
Sieht man von Venedig und der Façon de Venise-Gruppe ab, dann war Emailfarbendekor eine typisch deutsche, eher bürgerlich wirkende Verzierungsart von Trink- und Prunkgläsern, deren Transparenz sie allerdings beeinträchtigte. Sie gab dem Trinkgerät eine sehr persönliche Note und verführte das Auge zu genauerem Hinschauen durch einen illustrativen, oft lustigen bis derben, an Flugblätter erinnernden Vortrag. Viele Dekore wiederholte man jahrzehntelang stereotyp wie bei den Reichsadler- und Kurfürstenhumpen.
Wesentlich bestimmt wurde diese Verzierungsart von böhmischen, aber fast überhaupt nicht von den eher höfisch wirkenden venezianischen Vorbildern.
Die wichtigsten *Fertigungsorte* lagen im Herzen des deutschen Kaiserreiches: in Böhmen, Hessen, in der Oberpfalz und dem Fichtelgebirge, in Thüringen und Sachsen, im Bayerischen Wald (Ilz-Tal bei Passau), in Oberösterreich sowie in Brandenburg.

Die Lokalisierung von Emaildekor, der außer in Venedig wohl kaum in der Hütte der Glasherstellung zugefügt wurde, gibt noch manches Rätsel auf. Für eine Überraschung sorgte in jüngster Zeit die Ausgrabung der Ziroff-Hütte (1627-1631) im Spessart, in dessen Waldgebieten die Emailherstellung schon vor 1562 bezeugt ist. Vor diesen Neufunden, darunter Fragmente von Kurfürstenhumpen, konnte keinerlei Emailglas aus dem Spessart nachgewiesen werden [das auch im Bayerischen Nationalmuseum nicht vertreten ist].

Schwierig ist oft die Frage der Echtheitsbestimmung, da seit der Mitte des 19. Jahrhunderts gerade Emailgläser oft verblüffend genau kopiert wurden. Zecher, die Emailhumpen der Zünfte zerbrachen, mußten vor allem im 17. Jahrhundert oft bereits Ersatz in Form getreuer Kopien liefern.

Signierte Emailgläser gehören zu den größten Seltenheiten. Ein aufgemaltes Entstehungsjahr findet sich dagegen erstaunlich häufig, ebenso Familienwappen, die die Lokalisierung etwas erleichtern.

Schnitt und Schliff als bevorzugte Dekore der Barockzeit machten der Mode des Emaildekors auf Glas ein Ende. Bereits der fast transparente Schwarzlotdekor der Nürnberger Hausmaler in der 2. Hälfte des 17. Jahrhunderts verrät nach dem Ende des Dreißigjährigen Krieges einen feineren Bedarf; das kleinere Weinglas dominierte von jetzt an wieder gegenüber dem großen Bierglas der Renaissance mit deren unflätigen Trinksitten in Deutschland.

Nach einem letzten Aufschwung in Sachsen lebte die Technik des opaken Emailfarbendekors im 18. Jahrhundert dann nur noch durch Glaskäufer in bäuerlichen und kleinbürgerlichen Kreisen weiter.

Im 17. Jahrhundert waren in der Silberhütte nordöstlich von Weiden in der (kurpfälzischen) Oberpfalz Glasmacherfamilien wie die Greiner und die Glaser auch als Emailmaler tätig.
Der Bestand des Bayerischen Nationalmuseums ist trotz der Kriegsverluste relativ reich an Emailglas aus dem Fichtelgebirge, darunter als Rarissimum ein von einem Johann Glaser signiertes Glas von 1698, gefertigt in Bischofsgrün / Birnstengel am Nordhang des Ochsenkopf-Berges.

Scherzgläser

Bereits die Römer kannten Scherz- und Vexiergläser, meist in Form von Tieren oder menschlichen Köpfen, und ebenso Glasgefäße, in deren Innerem die Gefäßform in einer Miniaturwiedergabe wiederholt war. Spätestens seit dem 16. Jahrhundert fertigte man dann, frei von Hand aufgebaut oder in Formen geblasen, Unmengen von **Glasplastik** in Form von Vierfüßlern, Vögeln und auch Fischen, seltener als menschliche Figuren (Jungferngläser). Der 'Schnapshund' hielt sich im bäuerlichen Bereich bis in unsere Zeit als Gefäßtyp .

Eigentliche Scherzgläser waren Trinkgefäße z.B. mit durchlöchertem Rand, die den Trinkenden näßten, ebenso die schwer zu leerenden Glashammer oder die Gluckerflaschen, genannt **Kuttrolf** [vom lateinischen guttarium, Tropfen/Sprühglas] oder **Angster** [lat. angustrum, eng/Hals]: Schon beim antiken Glas ein geläufiger Typ, meist eine dickbauchige Flasche mit mehreren, umeinander gedrehten Röhren ("mit zwifachen rhörlein", aber auch mit 3 oder mehr), die sich im Ausguß wieder vereinen. Pfarrer Mathesius (Sarepta, 1562): "ein geschirr, das unten weit und oben eng ist ...die da kuttern, klunckern oder wie ein storch schnattern, wenn man drauß trincket". Diesen Gefäßtyp fertigt man in großer Zahl seit dem 14. Jh. bis in unsere Zeit als Trinkgläser und als Flaschen, wobei nach der Spessartordnung von 1406 ein Meister mit seinem Knecht nicht mehr als 200 Kuttrolfe (oder 300 Becher) am Tag herstellen durfte. Meist sind die erhaltenen Exemplare deutsche Erzeugnisse, sie wurden aber ebenso in Venedig und um 1600 in Florenz gefertigt, später auch in Skandinavien. Handwerkerzünfte ließen sich Trinkgläser in Form ihrer Berufsgeräte anfertigen wie die Gärtner große Gabel-Dreizacke. Damit sicherlich nichts zu tun hat der gläserne **Stiefel**, eigentlich ein menschliches Unterbein [das sich als Gefäßtyp in unterschiedlichsten Materialien jahrtausendelang nachweisen läßt von prähistorischen Zeiten bis zu den Griechen und Römern, dann bei den Inkas (hier sogar in Gold) und in Altpersien]. Noch heute wird der populäre Stiefel bei uns gefertigt und benutzt, im 19. Jh. war er vor allem bei den Studenten beliebt. Ebenso gibt es Trinkgläser in Form von *Degen*, *Pistolen* (deren Gebrauch an Fürstenhöfen nachzuweisen ist), *Hüten* oder *Schiffen*, aus denen in der Regel schwer und nur in nüchternem Zustand zu trinken ist.
Eine eigene Gruppe bilden *Musikinstrumente* aus Glas, teils reine Gefäße in Dudelsack- oder Geigenform, teils als benutzbare Instrumente wie Trompeten oder Wald-, Hift- und Posthörner. Verwandt sind die in der Antike, beim fränkischen Glas, im Orient und dann wieder seit dem 15. Jh. nachweisbaren *Trinkhörner*.
Durch einen Trick benutzbar waren die seit der Antike gefertigten *Siphonbecher*, die Heron von Alexandrien im 1. Jh. n.Chr. als Gefäße beschrieb, "deren Inhalt sich ausleert, wenn sie bis zu einer gewissen Höhe gefüllt sind"; hierzu gehören auch die 'Hirschgläser' der Renaissancezeit. Die *Zauberkrüge* des Barock, deren listig dekorierter Mundrand ein Trinken behindert, lassen sich durch hohle Henkel aussaugen.
Derartige Trinkspiele, im Gebrauch abzuleiten von archaischen Büffelhörnern oder Reiterstiefeln, erheiterten die Runde der Zecher und vertrieben ihnen die Zeit ebenso wie das Trinken aus *Paßgläsern*, bei denen man genau den nächsten umgeschmolzenen Paßfaden treffen mußte. Das erfolgte Ausleeren der fußlosen *Mühlradbecher* konnte man durch Betätigung eines am Handgriff befestigten Pfeifchens signalisieren: Wer zuerst pfiff, erhielt wohl eine Freirunde [vgl. unser venezianisches Schiff aus der Renaissancezeit].
Für die Antike - angeblich in Verbindung mit dem Fruchtbarkeitsglauben - wie für das Mittelalter und die Renaissance ist der Typ der nur selten erhaltenen *Phallus*gläser gesichert, erwähnt vom Pfarrer Mathesius in seiner Sarepta von 1562: "Etliche geben auch den glesern schendliche Gestalt, darüber auch der fromme und e[h]rbare Heide Plinius schon zu seiner Zeit sehnlich klaget", während Pietro Aretino einen anderen Verwendungszweck nennt; noch Zar Peter I. von Rußland trank aus solchen Gläsern.

Römer

Der bekannteste Typ des Weinglases ist der Römer, eine Weiterentwicklung des mittelalterlichen Nuppenbechers [englisch rummer, frz. reumer, ndl. roemer, schwed. remmar, norweg. rømer]: In der Grundform unterteilt in einen standfesten Trompetenfuß, einen hohlen Zylinderschaft mit aufgeschmolzenen Nuppen und in eine dominierende, zunächst konische, seit dem späten 16. Jh. kugelige, später eiförmige Kuppa mit eingezogenem Lippenrand. Diese Glasform war in Köln schon im 15. Jh. bekannt. Die aufgesetzten, meist brombeerartigen Nuppen am Schaft hießen *Rosen* ("achtrössig", "sechsrössig", "dreirössig"). Der konische Fuß wurde über einem hölzernen oder eisernen Kern aus einem Faden spiralig aufgesponnen; deshalb ist der Fuß alter Römer im Gegensatz zu vielen Nachahmungen des 19. Jh. *beid*seitig gerippt.
Römer wurden noch im 18. Jh. aus grünem Waldglas gefertigt. Eine genauere Lokalisierung der besonders im 17. Jh. verbreiteten Römer ist oft kaum zu erbringen. Der vielleicht in der Römerstadt Köln entstandene Gattungsname soll auf die römischen Nuppengläser als Inbegriff antiker Glaskunst verweisen.
Vielleicht nach einem Umschlagplatz erhielten 'Heilbronner Römer' (aus entfärbtem Glas, ohne Nuppen?) ihren Namen. Erstaunliche Formate zeigen riesige Römer der späten Barockzeit aus Norddeutschland und Schweden. Der kostbarste erhaltene Römer ist unser Domkapitelglas (samt altem Futteral) mit Mainzer diamantgerissenem Dekor von 1617, darauf eine Ansicht der Stadt und die Wappen des gesamten Domkapitels.

Fränkische Barockgläser

Im Nürnberger Reichswald zu beiden Seiten der Pegnitz gab es schon im Mittelalter Waldglashütten. Wegen des übermäßigen Holzverbrauches verbot Kaiser Ludwig im Jahre 1340 hier weitere "Kohlstätten und Glasöfen". Glassand oder Kapselerde bezog man im 16. Jahrhundert aus Kalckreuth bei Nürnberg.
In der Stadt **Nürnberg** selbst befand sich wegen der Brandgefahr natürlich keine Glashütte. Durch Veredelung entstanden innerhalb der Stadtmauern jedoch viele der kostbarsten Gläser des 17. Jahrhunderts.
Der Standort der Lieferhütte der (nur für diese Stadt gefertigten?) "Nürnberger Gläser" des 17. Jahrhunderts ist unbekannt. Die oft erstaunlich großen, dünnwandigen, straff und leicht wirkenden, auch vielfarbigen Pokale erinnern an gedrechselte Elfenbeine und an niederländische Gläser; sie sind gekennzeichnet durch rhythmisch eingearbeitete Ringscheiben in ihrem hohlen Balusterschaft und Deckelknauf.
In weitem Umkreis um die Freie Reichsstadt arbeiteten etliche Glashütten, deren Produkte wir jedoch nicht kennen. Man vermutet den Hersteller der oft ungemein zarten "Nürnberger" Pokale und Becher im Fichtelgebirge oder im Bayerischen Wald, der aber wegen der straffen Feinheit dieses "städtischen" Glases wohl ausscheidet. Daß eine Hütte in Freising, die auch Farbglas herstellte, Lieferant der "Nürnberger" Gläser war, läßt sich bisher nicht beweisen. Im Unterschied zu den leicht grünstichigen Gläsern des Thüringer Waldes hat das "Nürnberger" Glas einen zart rauchfarbenen Stich.

Seit der Mitte des 17. Jahrhunderts veredelte man in privaten Anwesen in Nürnberg - analog zur Hausmalerei auf Fayence - eine Fülle kostbarer Gläser durch **eingeschnittene Dekore**, die unabhängige Glasschneider samt Familienangehörigen und Mitarbeitern mit dem Kupferrädchen kläubelnd fein zufügten. Glasschnitt ist in Nürnberg seit dem späten 16. Jahrhundert belegt. Georg Schwanhardt d.Ä. war nach dem Tode Caspar Lehmanns (1622) aus dem böhmischen Prag nach Nürnberg zurückgekehrt; er begründete hier den fast höfischfeinen Stil des Glasschnitts, der den Emailfarbendekor schließlich in ganz Deutschland verdrängte.
Seit der Mitte des 17. Jahrhunderts bereicherte man in Nürnberg den Schnitt in äußerster Verfeinerung zudem durch Blänkung und Diamantgravierung; letztere blühte zu jener Zeit in Holland.
Als "freie Kunst" zählte der Glasschnitt in Nürnberg nicht zu den geringer eingestuften handwerklichen Künsten. Wie schon beim Emailglas trennte sich die Glasherstellung von der "Glasraffinerie" durch Weiterveredler.

Ungewöhnlicherweise kann der Schnittdekor vieler Nürnberger Gläser durch **Signaturen** (auch auf Gläsern des Bayerischen Nationalmuseums) sowie durch zeitgenössische Berichte der Hand einzelner Persönlichkeiten zugeschrieben werden. Mit allen überlieferten Namen von Glasschneidern lassen sich erhaltene Glasschnitte jedoch nicht verbinden; so besteht die Gefahr, daß alles annähernd Ähnliche jeweils *einer* gesicherten Hand kumulierend zugewiesen wird, obwohl allein Georg Schwanhardt d.Ä. zwei Söhne und drei Töchter als Mitarbeiter beschäftigte und vielleicht auch eine gewisse Arbeitsteilung bestand.

Die dünnwandigen "Nürnberger" Pokale mit Dekor der Schwanhardt, Schwinger oder Schmidt wurden um 1700 durch dickeres, klingendes, manchmal leicht farbstichiges **Kreideglas** aus Böhmen und Mitteldeutschland ersetzt. In diesem wasserklaren Glas blitzt der Schnitt im Gegensatz zum vorher verwendeten Material.

In der Mitte des 18. Jahrhunderts war die Kunst des Glasschneidens in der Reichsstadt bereits so gut wie ausgestorben. 1811/12 wird in Nürnberg noch ein einziger Glasschneider genannt.

Nürnberger Glasschneider:

Hans ***Weßler***	gest. Nürnberg 1632
Georg ***Schwanhardt*** d.Ä.	1601 - 1667
Heinrich ***Schwanhardt***	1625 - 1693
Georg ***Schwanhardt*** d.J.	1640 - 1676
Hermann ***Schwinger***	1640 - 1683
Hans Wolfgang ***Schmidt***	1676 - 1711 in Nürnberg nachweisbar
Paulus ***Eder***	1685 - 1709 in Nürnberg nachweisbar
Georg Friedrich ***Killinger***	1694 - 1726 in Nürnberg nachweisbar
Anton Wilhelm ***Mäuerl***	(Wundsiedel) 1672 - 1737 (Hersbruck)

Zwischen 1677 und 1702 existierte auch im Lehel in **München** eine Kurfürstliche Glashütte, betrieben vom Kristall- und Glashüttenmeister Hans Christoph Fidler, der die Hütte 1681 auf eigene Rechnung übernahm und sie 1684 vor das Kosttor verlegte. 1687 erwarb sie der Handelsmann Michael Underrainer. Von der Fülle der Erzeugnisse hat man leider nur durch Archivalien Kenntnis. Außer Milch- und anderem Farbglas sowie Eisglas ist für das Jahr 1690 sogar die Rubinglasfertigung bezeugt und ebenso der Glasschnitt.

Barocke Schwarzlot- und Lackfarbendekore

Aufgebranntes Schwarzlot als stumpfe Glasmalerfarbe, eine Art schwärzliches Email, wurde schon im hohen Mittelalter beim Dekorieren von Fensterscheiben vielfach verwendet.
Man stellte es zumeist aus gebranntem Eisen (auch Kobalt) mit Braunsteinasche oder aus Kupferasche mit Bleizusatz her, versetzt mit einem Fluß und organischen Bindemitteln. Oft ist es keine schwarze, sondern eher eine sepiabraune Farbe in hellen bis tief dunklen Tönen, mit feinsten Variationsmöglichkeiten im Auftrag ähnlich wie bei der Tuschmalerei, weshalb sich Schwarzlotdekor von opaker Emailmalerei auf Glas scharf ab setzt. Zusätzliche Feinheiten können vor dem Brand durch Radieren mit einer Nadel eingeritzt werden. Wegen des dünnen, zarten Auftrags ist Schwarzlot fast den Transparentfarben zuzurechnen.

Diese Technik übertrug der in Harburg bei Hamburg geborene Johann **Schaper** (1635-1670) im 3. Viertel des 17. Jahrhunderts auf Hohlgläser. Außer einigen seiner Hohlgläser besitzt das Bayerische Nationalmuseum eine außerordentlich große Zahl farbiger Flachglasscheiben Schapers, die an ältere Nürnberger und Schweizer Fensterscheiben anknüpfen [Saal 51 im Obergeschoß. - Nürnberger Hausmalerei auf Fayence im Obergeschoß, Saal 95, Vitrine 7].

Außerhalb Nürnbergs (und der Niederlande) wurde Schwarzlotmalerei -auch durch Goldauftrag bereichert- im böhmischen Kronstadt im Adlergebirge vom Porzellan-Hausmaler Daniel **Preißler** (1636-1733) aus dem schlesischen Friedrichswalde und dessen Sohn Ignaz (1676-1741) betrieben. Einer der beiden Preißler arbeitete vor 1726 sieben Jahre lang in Breslau.

Zum Nürnberger Hausmalerei-Bereich gehören vielleicht auch die ausgestellten Gläser mit opakem **Lackfarbendekor**. Bei der nur selten erhaltenen, kalt aufgemalten und damit höchst empfindlichen Verzierungsart fällt oft die Entscheidung schwer, ob Öl- oder Eiweißfarbe oder echter Lack verwendet wurde.
Im Jahre 1614 sind in der südböhmischen Wilhelmsberger Hütte sowohl mit Ölfarben als auch mit glänzenden, aber gilbenden Mastixfarben bemalte Hohlgläser genannt.
In der Stadt Nürnberg führte Johann *Heel* im späten 17. Jahrhundert die Lackmalerei (wieder?) ein.

Thüringer Gläser mit geschnittenem Dekor

Gründungsurkunden von 43 Glashütten aus den Jahren zwischen 1418 und 1798 erweisen die hohe Bedeutung dieser Landschaft innerhalb der deutschen Glasfabrikation.
Die komplizierte Geschichte des Landes im 17. und 18. Jahrhundert macht die Abgrenzung des Thüringer Barockglases vom sächsischen problematisch. Coburg und Weimar gehörten zum ernestinischen Zweig des Hauses Sachsen. 1641 wurde Sachsen-Weimar geteilt in Sachsen-Gotha, Sachsen-Weimar und Sachsen-Eisenach. Schwarzburgisch waren Sondershausen, Arnstadt und Rudolstadt. Glas aus Sachsen-Weißenfels zählt eher zum Thüringer als zum sächsischen Glas.
Auf dem Gebiet des **Glasschnitts** kam dem Thüringer Glas seit dem 2. Viertel des 17. Jahrhunderts eine gewichtige Rolle zu. Schon 1627 läßt sich Glasschnitt für die Drahthütte bei Ernstthal belegen. 1630-1639 betrieben Italiener eine Hütte in Tambach. Nach den Verheerungen in der zweiten Phase des Dreißigjährigen Krieges erholte sich die Produktion im Lande nur langsam; kein geschnittenes Thüringer Glas ist bisher aus den Jahren zwischen 1655 und 1690 bekanntgeworden.
Zwischen 1710 und 1750 entstanden dann zahlreiche, mit Schnittdekor verzierte Hohlgläser, die zum Besten der Zeit gehören, beginnend mit Arbeiten des Caspar Creutzburg aus Gotha, einem Schüler des Nürnbergers Schwinger. Die Zentren der Schnittveredelung befanden sich in den Städten Sondershausen, Gotha, Weimar, Arnstadt und Eisenach. Geschliffenes Thüringer Glas kennt man nicht. Die für Thüringen charakteristische Nachahmung geschliffener Flächen durch kantig mit der Zange gekniffene *pseudofacettierte Balusterschäfte* und Knäufe ist in England bereits um 1715 belegbar, in Sechseckform kommt sie auch bei Kasseler Glas vor. Manches der meist dickwandigen Thüringer Gläser weist einen bläulichen oder grünlichen Farbstich der Masse auf, die nicht immer sehr rein ist. Davon hebt sich eine Gruppe von fast völlig farblosen, kristallartig glänzenden Pokalen mit gekniffenen Schäften auffällig ab.
Neben den städtischen Dekorzentren, wo die Arbeiten der bedeutendsten Glasschneider gut zu belegen sind, existierte eine ausgedehnte Glasproduktion vor allem im Thüringer Wald, nachweisbar auch durch obersächsisches und vogtländisches Emailglas sowie Milchglas.
Gut vertreten im Museum sind die frühen "Tambacher" Flaschen sowie Arbeiten des Meisters IH oder HI, nicht widerspruchslos identifiziert mit Heinrich Jäger, dessen Stil in Berlin geformt wurde, dazu die köstlich geschnittenen Pokale des Gothaer Hofglasschneiders Georg Ernst **Kunckel** (1692-1750) in Eisenach, der viel für Nürnberger Käufer arbeitete, wohl bei Killinger gelernt hatte und auch für Ansbach tätig war.

Deutsche Fadengläser und gekämmte Dekore, 16.-18. Jahrhundert

Hohlgläser mit einem Dekor aus auf- oder eingeschmolzenen, gekreuzten oder geflochtenen, genetzten, gezwirnten oder auch bandförmigen *Milchglasfäden* gehen auf eine venezianische Erfindung zurück, die vielleicht schon vor 1409 datiert werden muß. Im Jahre 1527 erteilte man in Venedig ein Privileg für die Fertigung von Fadenglas.
Aufgesponnene, also aufgewickelte Glasfäden lassen sich in heißem Zustand mittels eiserner Häkchen auch zu einer *gekämmten* Fiederung verziehen, die durch Verwärmen geglättet wird. Fiederdekor findet sich bereits auf chinesischem Song-Porzellan (960-1279) und beim noch erheblich älteren ägyptischen Glas.
Durch Prager Bodenfunde ist Fadenglas im 16. Jahrhundert in Böhmen belegt. Schon im Jahre 1602 wurden "gestreiffte Gläser" von böhmischen Glasmachern aus Kreibitz und Falkenau im brandenburgischen Grimnitz hergestellt.
Die Zuweisung deutscher Fadengläser insbesondere des 16. Jahrhunderts an bestimmte Glaszentren ist nur selten möglich wie auch ihre exakte Datierung.

Farbgläser, 16.-18. Jahrhundert (außer Venedig)

Ein **opakes** Färben von Hohlglas nahm man in Europa vor dem 19. Jahrhundert nur relativ selten vor außer beim porzellanweiß gefärbten Milchglas. In der Masse komplett gefärbt, aber **transparent**, ist Goldrubinglas. Auch die bunten Farbfenster des Mittelalters waren in der Masse gefärbt, ausgenommen das rote Glas, das ein durch Kupferzusatz geröteter *Überfang* war [vgl. die Glasfenster in Saal 51 im Obergeschoß].
Mathesius berichtet schon 1562 von wohl transparenten grünen, roten, gelben und braunen Hohlgläsern. Die Erfindung des kobaltblauen Glases schreibt man Christof Schürer zu, der 1570 die Falkenauer Glashütte in Nordböhmen übernahm; die Verwendung von Kobalt läßt sich aber bereits im Mittelalter nachweisen.

Die Färbung von Glas wird durch Metalloxide erzielt: Blau durch (Oxid von) Kobalt; Gelb durch Antimon und später Uran; Grün durch Kupfer; Rot durch Eisen; Weiß durch Zinn; Braun und Violett durch Mangan. Kupfermonoxid ergibt smaragdgrünes und ebenso russischgrünes wie dunkelflaschengrünes Glas, Eisen eine moosgrüne Färbung. Durch erneutes Erwärmen kann Kupfermonoxid verwandelt werden in Glas kupferrot färbendes Kupferdioxid. Eisenbeimengungen erzeugen Preußischblau, ebenso auch Gelb- oder Braungrün, ferner gelb- oder blaustichiges Grün sowie bläuliches oder fast schwarzes Glas. Eine Zufügung von Kobalt kann zu Blau-, Rosa-, Rot- oder Grüntönen führen. Dünnwandiges blaues Glas zeigt meist einen Violettstich. Gleiche Metalloxide bewirken bei Soda-, Kali- oder Kristallglas unterschiedliche Farbtöne.
Farbige Hohlgläser und Rezepte für deren Herstellung blieben in Fülle erhalten. Eine Lokalisierung läßt sich fast nur durch charakteristische Gefäßformen oder durch bestimmbare Dekortypen erbringen.

Auch die Münchener Hütte stellte um 1680 rotes, blaues, meergrünes und purpurfarbenes Glas her, ferner "Porzellanglas" (Milchglas) und "Waissl"; nichts davon scheint erhalten zu sein. Die 26 Rubingläser in der Münchener Residenz gelangten bis auf drei erst im Jahre 1802 mit dem Pfälzer Schatz nach München.

Goldrubinglas, im Auflicht weniger dunkel als das durch Beimengung von Kupfersalzen hergestellte, nur als Überfang verwendete *Kupferrubinglas*, wurde im Jahre 1676 von Dr. Cassius erneut erfunden und außer von Kunckel und dessen Nachfolgern in Potsdam auch in anderen Hütten hergestellt: durch Michael Müller in der Helmbacher Hütte im Böhmerwald, seit ca. 1700 durch Johann Christoph Preußler im schlesischen Schreiberhau, ferner in Freising und München und angeblich sogar in Bayreuth und Ingolstadt. Überzeugende Lokalisierungen lassen sich zumeist nur für Potsdamer und böhmische Rubingläser erbringen.

Das homogene, durchscheinende, aber undurchsichtige **Milchglas** entsteht durch Beimischung von phosphorsaurem Kalk (Knochen- oder Hirschhornasche) oder von Zinnoxid. 1678 wird Milchglas in Potsdam erstmals ausführlich genannt. Sein porzellanartiges Aussehen machte es im 18. Jahrhundert vor allem in Mitteldeutschland zu einer Art Porzellanersatz, auch durch verwandten Emailfarbendekor. Auch in Brandenburg erzeugte man im 18. Jahrhundert viel Milchglas, das heute nicht mehr zu identifizieren ist.
Das transluzide, im Transparentlicht leicht opalisierende *Beinglas* geriet auch weingelb bis wachsfarben.
Opalglas als Sondergruppe des Beinglases erzeugt man durch Zusatz von kalzinierter Knochenasche (auch von menschlichen Gebeinen). In seiner optischen Wirkung wirkt es mehr "gläsern" als Beinglas, halb durchsichtig sowie marmoriert und vor allem stark opalisierend; im Transparentlicht schillert es in meist rötlichen und bräunlichen Lüsterfarben.
Das vor allem in Frankreich gefertigte Opalglas des 19. Jahrhunderts, halb durchsichtig bis fast opak und in der Masse gleichmäßig gefärbt, kommt in milchigen Weißtönen vor, aber auch in Hellblau, Rosa, Grün und Türkisblau, darunter das hochgeschätzte Alabasterrosa "Gorge-de-pigeon".

Barocke Zwischengolddekore

Die von antiken Gläsern bekannte Technik, Blattgold als *Folie* zwischen zwei Deckgläsern dauerhaft einzu*schmelzen* (Katakombengläser), läßt sich äußerst selten auch bei venezianischen und anderen europäischen Gläsern aus nachantiker Zeit nachweisen.

Auf*gemalter* Zwischengolddekor kam erst im 18. Jahrhundert zu weiter Verbreitung, vor allem in **Böhmen**. Im 19. Jahrhundert scheint diese Verzierungsart nur mehr wenig gefallen zu haben: Ein 'Münchener Kunstfreund' schrieb 1877/78, seine "Wirkung ist eher widerwärtig als angenehm".

Johann *Kunckel* in Potsdam beschrieb die Herstellungsmethode dieser Zwischengoldgläser detailliert in seinem Werk "Ars Vitraria Experimentalis oder vollkommene Glasmacher-Kunst" (1679/89), einer kommentierten Übersetzung des 1612 in Florenz erschienenen und bis ins 18. Jahrhundert in ganz Europa verbildlichen Buches von Pater Antonio *Neri* mit einer unerschöpflichen Sammlung von Glasmacherrezepten:

Zwei paßgenaue, konische Gläser (meist Becher) werden ineinandergesteckt. Auf die Außenwandung des inneren Glases trägt man dünn aufgebrannten Golddekor mit ausradierter Binnenzeichnung auf, der manchmal bereichert wird durch roten Karmesin- oder durch grünen Lack. Eine Kittfuge am oberen Becherrand hält beide Gläser zusammen. Der Boden des äußeren Bechers wird als Glasmedaillon mit farblosem, heute oft vergilbtem Harz separat eingekittet.
Das genaue Ineinanderpassen zweier Gläser stellte allerhöchste Anforderungen sowohl an Glasmacher wie an Glasschleifer.
Nur sehr selten kombinierte man Glasschnitt mit Zwischengolddekor.

Das Rezept für kalt aufgetragenen »Kermesin-Lacca« findet man bei Kunckel, und ebenso das für »Marmorglas« in gleicher Technik: einen achatartig marmorierend zwischen den zwei Gläsern über die gesamte Wandung hin aufgemalten, bunten Lack.

[Zwischengoldgläser dürfen nie in Wasser getaucht werden, das in die Fuge eindringen und den Dekor durch Blasen entstellen oder sogar zerstören kann]

Früher hielt man die Dekore der böhmischen Zwischengoldgläser für schlesische Arbeiten. Erst Pazaurek erkannte im Jahre 1902 , daß sie von "kunstverständigen Dilettanten" in böhmischen Klöstern hergestellt wurden.
Auf eine Anfertigung dieser Zwischengold*dekore* in Klöstern weisen unter anderem zahlreiche Abtswappen sowie häufige religiöse Darstellungen hin, auch das völlige Fehlen erotischer Darstellungen. Unklar bleibt, ob die Technik in mehreren Klöstern des Böhmerwaldes beherrscht wurde oder ausschließlich im Zisterzienserstift Hohenfurth an der Moldau, wo erhaltene Vorzeichnungen gefunden wurden.
Nur vermuten kann man, daß die technisch virtuos gearbeiteten Doppelwand*gläser* mit ihren raffinierten Knaufeinsätzen im Deckel ebenso wie ihr Golddekor im Böhmerwald oder nicht eher in Harrachsdorf gefertigt wurden. Tschechische Forscher nehmen eine Herstellung auch des Golddekors in der Harrachsdorfer Hütte an. Datierte und datierbare Beispiele kennt man aus den Jahren 1716/1723, 1722, 1728, 1730, 1732, 1730/38, 1734, um 1735, 1740, 1747, 1753, vor 1758 und 1792.

Wegen der Goldspiegelung und wegen des verkitteten Bodenmedaillons läßt sich der Farbstich in der Glasmasse der Zwischengoldgläser nur selten bestimmen.

Auch in relativ dünnwandige böhmische, sächsische und Thüringer Gläser klebte man im 18. Jahrhundert paßgerecht geschiffene *Glasmedaillons* mit Zwischengolddekor auf oder ein.

Von den gleichzeitigen, höfisch-aufwendigen *sächsischen* Zwischengoldgläsern besitzt das Bayerische Nationalmuseum kein Beispiel.

Letzte bedeutende Hersteller von Zwischengoldgläsern waren der böhmische Glasschleifer Johann Joseph **Mildner** (1765-1808), der außer Rand- und Fußreifen sowie Bodenmedaillons auch auf Pergament gemalte Porträts unter Glasmedaillons einsetzte (Schleifmühle Gutenbrunn bei Stift Melk), und Johann Sigismund **Menzel** (geb. um 1745, gest. 1810) im schlesischen Warmbrunn [Menzelgläser im Museum nicht vertreten]. Schwarze Porträtsilhouetten auf goldenem Grund brachten beide beim Glas in Mode.

Brandenburger Barockgläser

Die brandenburgische Glasproduktion begann mit einer Hüttengründung im Jahre 1602 in **Grimnitz** bei Joachimstal / Eberswalde in der Uckermark durch böhmische Fachleute. Sie wurde 1607 nach **Marienwalde** in der Neumark verlegt. 1653-1792 bestand in Grimnitz erneut eine Hütte; Glasschnitt ist hier seit 1654 bezeugt.

Potsdam: Weitaus bedeutender war die in *Drewitz* a.d.Nuthe bei Potsdam im Jahre 1674 vom Großen Kurfürsten gegründete Kurfürstliche Hütte: Eine der wenigen Glashütten im Besitz eines Landesherrn. Im Jahre 1680 verlegte man sie auf den nahen *Hakendamm* bei Potsdam an der Nuthe-Einmündung in die Havel (heute Neuendorf). Bis 1736 fertigte das Unternehmen Kreide- und "Kristall"-Glas sowie erlesene Farbgläser.
Zwischen 1678 und 1693 stand die Hakendammhütte unter der Leitung des berühmten Chemikers, Glastechnologen und Alchimisten **Kunckel**, der sie 1679 pachtete. Johann Kun[c]kel wurde um 1630 bei Rendsburg in Holstein geboren. Er trat 1659 als Kammerdiener, Chymikus und Apotheker in die Dienste der Herzöge von Sachsen-Lauenburg. Eine Bildungsreise führte ihn in die Niederlande. Anschließend erhielt er zwischen 1668 und 1670 eine Anstellung beim Kurfürsten von Sachsen als Direktor der kurfürstlichen Laboratorien in Annaburg und Dresden, wo später der ebenfalls beim Goldmachen scheiternde Porzellanerfinder Böttger sein alchemistisches Labor benutzte. Von 1676 bis 1678 lehrte Kunckel als Dozent an der Universität Wittenberg, ging aber im Jahre 1678 nach Brandenburg, wo ihm Kurfürst Friedrich Wilhelm im Jahre 1685 die Pfaueninsel bei Potsdam schenkte. Unter dem seit 1688 regierenden Kurfürsten und späteren König Friedrich I. fiel Kunkel in Ungnade; seine Glashütte vernichtete im Jahre 1689 ein Brandstifter. Der schwedische König berief ihn wenig später als Bergrat nach Schweden und erhob ihn als 'Kunckel von Löwenstjern' im Jahre 1693 in den Adelsstand. Kunckel blieb aber nicht in Schweden, sondern ging zurück in die Mark Brandenburg. Hier starb er am 20.3.1703 auf seinem märkischen Landgut Dreißighufen bei Pernau.
Zwischen 1685 und 1688 besaß Kunckel eine eigene kleine "Studio"-Glashütte auf der Pfaueninsel bei Potsdam mit Privilegien für die Fertigung von Kristall- und Goldrubinglas in Brandenburg; Grabungen auf dem Hüttengelände in jüngster Zeit erbrachten leider nur unbedeutende Funde. Bisher läßt sich Kunckel kein einziges erhaltenes Glas von Bedeutung zuschreiben. Er war im eigentlichen Sinne auch kein Fabrikant, sondern ein forschender Gelehrter. Für die Glasfabrikation nicht nur in Deutschland erlangte er erhebliche Bedeutung durch seine kommentierte Ausgabe des Glasbuches von Antonio Neri, dessen Rezepte er systematisch ausprobierte: Ars vitraria experimentalis (1679); erstmals wurden hier die Rezepte für Kristallglas publiziert.

Nach einer Produktionseinschränkung zugunsten von Hoflieferungen pachtete der 1680 in Kassel geborene Johann Moritz **Trümper** nach 1713 bis 1719 die Potsdamer Hütte; er starb 1742 in Berlin. Importverbote für böhmisches Glas sicherten den Absatz. 1736 versteigerte man die Restbestände der Hütte auf dem Hakendamm (vor allem an Berliner Glasschneider) und verlegte die Glasproduktion nach **Zechlin** nördlich von Rheinsberg. Das verpachtete Unternehmen florierte bis 1890. Unübertrefflich ist die Vergoldung der Zechliner Gläser.

Diese Fakten erklären den ausgesprochen höfischen Prunk- und Kunstkammer-Stil der frühen, so bedeutenden Potsdamer Gläser, die im Gegensatz zu den Erzeugnissen der eher provinziellen böhmischen Hütten weniger Nutz- und Exportware waren. Wie das frühe Meißener Porzellan sollten die brandenburgischen Gläser im Sinne des Merkantilismus - auch als politische Geschenke - zum Ansehen des Landesherren beitragen.
Der hochbarocke, schwerblütige, preußisch-straffe Glastyp der Frühzeit wirkte im gesamten 18. Jahrhundert in der Produktion der Brandenburger Hütten vorbildlich nach.

Berlin: Schnitt und Schliff von überragender Bedeutung wurden in Brandenburg eingeführt durch zwei seit 1680 bzw. 1683 auf dem Friedrichswerder beim Berliner Schloß als Hofglasschneider arbeitende Schlesier: Durch den Steinschneider Martin **Winter** (aus Rabishau bei Hirschberg; gest. 1702; Bruder des Friedrich Winter in Hermsdorf) und dessen Vetter und Gesellen Gottfried **Spiller** (genannt bis 1721; gest. nach 1735).
Im Jahre 1684 erhielt Winter ein Privileg für Hochschnitt, 1687 entstand seine Schleifmühle in Berlin. Glas mit Hochschnitt ist in der Residenzstadt des Brandenburger Kurfürsten bereits seit 1683 bezeugt, also fast gleichzeitig mit den frühesten Hochschnittgläsern aus Schlesien.
Neben den kurfürstlichen Hofglasschneidern der Potsdamer Hütte arbeiteten in Berlin seit dem späten 17. Jahrhundert viele weitere Glasschneider, die sich sogar zu einer Innung zusammenschlossen, die 1706 vierzehn Mitglieder hatte. Vor 1700 nennen Berliner Kirchenbücher bereits sechs Glasschneider und 1704 zehn. Einer dieser in Berlin tätigen Glasschneider übertrug den schweren Potsdamer Stil nach Thüringen.

Außer den genannten Hütten existierten mindestens 27 weitere märkische Glashütten. Teilweise fertigten sie auch "Kristall"- und Farbgläser. Sogar der Berliner Hof wurde beliefert. Dies erschwert sehr eine exakte Bestimmung Brandenburger Gläser nach Hütten. Die Berliner *Venezianerhütte* des Giovanni Pallada kennt man ebenfalls nur aus Archivalien (1696-1698).

Sächsische Barockgläser

Die Glasfertigung in Kursachsen erreichte im 1. Viertel des 18. Jahrhunderts ihren Höhepunkt durch herausragende Schliff- und Schnittgläser der im Jahre 1700 von August dem Starken gegründeten, Königlich Sächsischen Kristallinglashütte in **Neuostra vor Dresden**. Die zumeist verpachtete Hütte fertigte bis zur Mitte des 18. Jahrhunderts ausgesprochen höfisches Glas; die Inspektion hatte der König zunächst Ehrenfried Walther von Tschirnhaus (1651-1708) übertragen.
Die Gefäße aus der Dresdener Ostra-Hütte standen unter dem Einfluß der Potsdamer Gläser, während böhmische und schlesische Vorbilder zunächst (?) weniger bestimmend waren. Man rühmte die besonders reine, bergkristallartig "weiße" Dresdener Glasmasse.

Gleichzeitig produzierten kleinere Hütten im Lande einfachere Gläser (**Landgläser**), unter denen die Erzeugnisse der Hütte in **Glücksburg** am besten faßbar sind, die gleichfalls dem Pächter der Dresdener Hütte unterstellt war und ebenso lange arbeitete.
Für das auch mit Dekorschnitt verzierte sächsische Landglas sind dichte Querfacettierungen wie beim hessischen und Lauensteiner Glas charakteristisch.
Auch englische Einflüsse lassen sich feststellen, z.B. in der Form der Schnapsgläser und durch die im Schaft eingeschmolzenen Milchglasfäden.

Im 1. Viertel des 18. Jahrhunderts veredelten in der Stadt Dresden zahlreiche Heimarbeiter sächsisches Glas, neben etlichen Thüringern vor allem böhmische Glasschneider, die gleichzeitig auch Böttgersteinzeug mit Schnitt bereicherten. Das von böhmischen Vorbildern abhängige sächsische Glas ist zudem nicht immer leicht vom böhmischen zu unterscheiden.

Ein Hauptwerk der barocken deutschen Glaskunst blieb in dem Riesenpokal des Bayerischen Nationalmuseums mit Bildnissen römischer Kaiser aus appliziertem, vergoldetem Silber erhalten, der wohl für August den Starken gefertigt wurde.

Lauensteiner Barockgläser

Eine Weißglashütte im braunschweigischen Fürstentum Calenberg wurde von einem Lothringer, von England her eingewanderten Glasmeister *Tisag* im Jahre 1701 in Gang gebracht, der hier die ihm aus England bekannte Steinkohlenfeuerung erstmals in Deutschland eingeführt zu haben scheint.
Die Hütte befand sich im Dorfe **Osterwald** bei Lauenstein östlich von Hameln und wurde vom Lauensteiner Amtmann Wedemeyer betrieben.

1712 bis 1730 nennen die Kirchenbücher bereits fünf Glasschneider; Glasschliff wurde bald danach eingeführt.

1767 ging die Hütte in den Besitz der Landesherrschaft über. 1827 gelangte sie erneut in private Hände.

Nach der Übernahme durch den Landesherrn markte man viele Lauensteiner Glaspokale im Inneren des Fußes durch eine eingeschnittene **Löwenmarke** - also mit dem welfischen Löwen - und mit dem **Buchstaben "C"** (für "Cristall"), eine singuläre Maßnahme innerhalb der deutschen Glasproduktion.

Charakteristisch für die schweren Osterwalder Pokale sind Glockenfüße, Facettenschliff und ornamental eingestochene Luftblasen, auch breite Goldränder von vorzüglicher Qualität.

Da der Kurfürst von Braunschweig zugleich König von England war, lassen sich verschiedentlich Einflüsse von englischem Glas auf die Lauensteiner Produktion nachweisen, mehr noch eine Beeinflussung durch nordhessische Hütten (Kristallglashütte Altmünden, 1682-1818). Öfters sind hessische und Lauensteiner Gläser kaum zu unterscheiden.

Der Glaspokal des Museums mit dem Wappen des Kölner Kurfürsten Clemens August, einem Wittelsbacher, wird neuerdings der Glashütte **Emde** (1722-1878) im Hochstift Paderborn versuchsweise zugewiesen.

Böhmische Barockgläser

Im späten Mittelalter existierte in Böhmen eine ausgedehnte, wichtige Glasproduktion. Bereits um 1500 rühmte man böhmisches Glas gemeinsam mit dem venezianischen wegen seiner "Weiße", also Reinheit.

Die politische Geschichte des Landes sowie die Tatsache, daß die Glasmachernamen (vor etwa 1700 ausschließlich) deutsch waren, rechtfertigen unter historischem Blickwinkel ein Einbeziehen des böhmischen Glases in die Geschichte des deutschen unter Negierung moderner nationalstaatlicher Gesichtspunkte.
Trotz zahlreicher Vorarbeiten muß die Geschichte des alle Zeit hoch gerühmten böhmischen Glases erst noch geschrieben werden. In der Regel ist eine Zuweisung der vielen erhaltenen Gläser an bestimmte Hütten nahezu unmöglich. Der Ruhm des böhmischen Glases basiert insbesondere auf seiner Glasmasse und dem Schliff. Im 16. Jahrhundert, das einen gemäßigten italienischen Einfluß brachte, existierten bereits etwa 90 Hütten.

Kein einziges böhmisches Barockglas ist durch eine Aufschrift als böhmisches Erzeugnis gesichert. Signaturen kennt man nicht. Vielfach stellte man reine Exportware her, was unverbindlich-dekorative Dekore bedingte. Mit Kiepen und Schubkarren, seit etwa 1680 auch mit Fuhrwerken, vertrieb man böhmische Hohlgläser in ganz Europa, im 18. Jahrhundert sogar bis Mittel- und Südamerika. Sicherlich belieferte man in großem Umfang auch Bayern.

Der erste bedeutende europäische Glasschneider, Caspar **Lehmann** aus Ülzen, übersiedelte im Jahre 1588 von München nach Prag (gest. 1622). Sein Erbe war Georg Schwanhardt d.Ä. (1601-1667), dem Lehmann sein kaiserliches Privileg für Glasschnitt vererbte, der aber nach Nürnberg zurückging.
Über den frühesten böhmischen Glasschnitt weiß man sonst kaum etwas.

Der habsburgische Generalissimus Carl Bonaventura Longueval de **Buquoy** (gest. 1621) erhielt im Jahre 1620 die konfiszierten Güter und Glashütten der Rosenberger in Südböhmen, was französisch-flandrische Einflüsse auf das südböhmische Glas bewirkte.
Der Dreißigjährige Krieg führte auch in Böhmen zu einer Hemmung in der weiteren Entwicklung. Führend in der 1. Hälfte des 17. Jahrhunderts war die Buquoysche Hütte am **Wilhelmsberg** bei Hellbrunn / Gratzen. die in der 2. Hälfte des Jahrhunderts ihre führende Stellung an die südwestböhmische Hütte **Winterberg** im Böhmerwald abgeben mußte.

Im 3. Drittel des 17. Jahrhunderts entwickelte man wegweisende Schnittdekore in *Südböhmen*, denen durch ihre stereotypen Wiederholungen noch etwas Volkskunstartiges anhaftet.
Georg Kreibich, geboren 1662 in Steinschönau in *Nordböhmen*, der »geschnittenes und gemaltes« Glas bis nach London brachte und unterwegs mit seinem Schneidzeug Gläser auch nach Wunsch verzierte, berichtet 1686, damals habe es in seiner Heimat im Gegensatz zum schlesischen Schreiberhau »noch kein gut Glas ... noch keine Kogler, auch noch keine Eckigreiber auch noch wenig Glasschneider« gegeben ["eckigreiben": gerundete Flächen werden plan geschliffen und kantig als Facetten gegeneinander abgesetzt]. Im 18. Jahrhundert waren die böhmischen Gläser in der Vollendung des Rohglases den schlesischen dagegen überlegen. Die böhmischen Balusterpokale des 17. Jahrhunderts ähneln entfernt den ihnen durch elegantere Formen und höchste Schnittqualität deutlich überlegenen Nürnbergern.
Um 1680 erfand entweder der für den Grafen Buquoy im südböhmischen Gratzen tätige Edelmann Louis Le Vasseur d' Ossimont (Arras 1629 - Wien 1689) oder Michael Müll(n)er in seiner Helmbachhütte bei Winterberg im südlichen Böhmerwald das **Kreideglas**: schweres, für den Schnitt hoch geeignetes, dickwandiges, klingendes "böhmisches Kristallglas". 1683 werden die ersten **Glasschleifer** in Böhmen genannt. Ein mit dem Druck von Wasserkraft betriebenes, maschinelles Schleifwerk entstand in Böhmen nicht vor ca. 1730.
Im späten 17. Jahrhundert verlagerte sich der Schwerpunkt der Entwicklung endgültig nach *Nordböhmen*. Den typischen barocken Dekor des Laub- und Bandlwerks (verschlungenes Bandwerk, gemischt mit belaubten Zweigen) adaptierte man von graphischen Vorlagen u.a. des Franken Paul Decker d.Ä. oder von den »Inventionen« des Friedrich Jacob Morison, gestochen von Pfeffel in Wien, 1693 in Augsburg verlegt bei Jeremias Wolff, die auf die Ornamentik des für den Sonnenkönig tätigen Franzosen *Bérain* zurückgriffen.

Im 2. und 3. Viertel des 18. Jahrhunderts verlor das böhmische Glas überraschend an Qualität. Auch der Glasschnitt sank zum Ende des 18. Jahrhunderts hin auf ein erstaunlich geringes Niveau. Im Jahre 1803 existierten immerhin noch 66 Hütten. Seit 1742 trennte eine preußische Grenze Böhmen und Schlesien.

Das farblose böhmische Kreideglas, rasch von anderen deutschen Hütten übernommen, brach in Europa endgültig die Vorherrschaft Venedigs in der Glasproduktion. Statt der Italiener lieferten im 18. Jahrhundert Böhmen, Schlesien, Brandenburg, Sachsen und Kassel die erlesensten und auch technisch fortschrittlichsten Hohlgläser. Der massive Balusterpokal wurde zum gültigen Typ des kostbaren gläsernen Trinkgefäßes.

Schlesische Barockgläser

Seit dem Mittelalter zählte **Schlesien** zu den wichtigsten Glaszentren in den deutschen Gebieten. Konzentriert war die Produktion in Tälern an den Nordhängen zweier Gebirge, dem Isergebirge (Schwarzbach, Antoniwald, Flinsberg) und vor allem dem Riesengebirge (*Hirschberger Tal* mit den Orten *Schreiberhau* [wo Glasveredler und die Händler wohnten], *Petersdorf* und *Warmbrunn*, *Hirschberg* und *Hermsdorf*).
Alle diese Straßenorte liegen eigentlich nicht im, sondern zwischen Riesen- und Isergebirge.

Der Ort der Glasfertigung und der Ort der anschließenden Glasveredelung waren in Europa nur selten identisch, was die kunsthistorische Bestimmung aller verzierten Gläser erschwert, darunter nicht zuletzt die der schlesischen Produkte, denn viele in Böhmen hergestellte Gläser veredelte man anschließend im benachbarten Schlesien. Eine Glasproduktion gab es auf beiden Seiten des Riesengebirges, das keine natürliche Grenze bildete. Deshalb muß sich die Glasforschung häufig des Begriffes **Riesengebirge** bedienen, um diese Arbeitsteilung und Verwandtschaft zwischen böhmischem und schlesischem Hohlglas zu verdeutlichen. Stillschweigend rechnet man zum Riesengebirge auch die Glasproduktion im Lausitzer, Jeschken- und Isergebirge hinzu. Eine umfassende Bearbeitung des schlesischen Glases steht ebenso aus wie für das böhmische; manchmal sind beide kaum zu unterscheiden, denn sie stammen aus einem vor dem Jahre 1742 ungeteilten Gebiet. Unsicherheit besteht auch bei einer begründbaren genaueren Datierung der erhaltenen Gefäße.

Im Gegensatz zu böhmischem Glas war die Veredelung in Schlesien meist kunstvoller und zierlicher; der geschnittene Dekor ist mindestens ebenso wichtig wie die meist leichte und elegante, oft ein wenig verspielt wirkende Glasform. Unveredeltes Glas produzierte man in Schlesien sicher in geringerer Zahl als in Böhmen.

Schliff, Schnitt, Hochschnitt und Vergoldung, also reine Veredelungstechniken, begründeten den Ruhm des schlesischen Glases seit dem späten 17. Jahrhundert. Meisterleistungen der Glasmacherkunst sind die frühen *Hochschnittpokale* in der Art von Bergkristallarbeiten älterer Zeit, die seit dem 4. Viertel des 17. Jahrhunderts in der Hermsdorfer Hütte der Grafen Schaffgotsch gefertigt wurden. Das erste Schleifwerk mit Wasserantrieb nahm man in Schlesien schon 1680 in Betrieb. Die charakteristischen Auflagen von Palmettmuscheln auf den wahrscheinlich in Böhmen hergestellten "schlesischen" Hohlgefäßen wurden anscheinend durch Einblasen in Formen gefertigt und anschließend nur überschliffen und poliert; sie sind also kein echter Hochschnitt.

Für den Glas*schnitt* könnte **Warmbrunn** der wichtigste Ort gewesen sein. Im Jahre 1742 lebten dort mehr als 40 Glasschneider, darunter als bedeutendster Christian Gottfried *Schneider* (1710-1773); auch böhmisches Glas wurde hier verkauft.
Allein in **Schreiberhau** sind für die Jahre 1685 bis 1693 die Namen von 24 Glasschneidern überliefert. Bereits 1685 wurde wegen Überbesetzung des Berufsstandes ein Verbot der Lehrlingsannahme ausgesprochen.
Im Jahre 1740 arbeiteten 11 Hütten in Schlesien, von denen anscheinend nur die beiden Hütten in Schreiberhau und in Wiesau besseres Glas lieferten.

Das Zufügen von geschnittenem Dekor auf böhmischen Gläsern, die man in Warmbrunn vor allem aus Neuwelt bezog, hielt bis zur Eroberung des österreichischen Schlesiens durch Preußen im Jahre 1742 an. Friedrich d.G. erzwang dann den Import von wohl einfachem Rohglas aus der brandenburgischen Neumark (Marienwalde, Tornow) in Schlesien. 1746 und 1747 untersagte der König nochmals Glaseinfuhren aus Böhmen, was bezeugt, daß die alten Handelsverbindungen nicht umgehend abbrachen, zumal die schlesischen Glasschneider auf das bessere böhmische Glas angewiesen waren.

Aus Mangel an gutem Rohglas wanderten nach 1753 viele schlesische Glasschneider nach Böhmen aus; der Stil ihrer Arbeit wird sich damit nicht abrupt geändert haben. 1763, am Ende des Siebenjährigen Krieges, arbeiteten immer noch zwölf schlesische Hütten. Die Grenze zu Böhmen war fast undurchdringlich geworden, da der Wiener Hof seinerseits den Export von böhmischem Glas nach Schlesien nunmehr verbot und ab 1764 grundsätzlich jede Veredelung böhmischer Gläser in Schlesien. Von dieser Einfuhrsperre erholte sich die schlesische Glasindustrie nicht mehr, sie wurde fast bedeutungslos, obwohl die Warmbrunner und Schreiberhauer Glasschneider noch immer besser arbeiteten als die Böhmen.

Die wirtschaftliche Misere in der 2. Hälfte des 18. Jahrhunderts und ebenso die Abkehr vom Luxus vergangener Jahrzehnte ließ damals in allen deutschen Landschaften die Glasproduktion der edelsten Sorten verkümmern. Vielleicht hätte eine rasche Umstellung auf die Fertigung von blitzendem, schwerem, gut schleifbarem Bleiglas nach englischem Vorbild diese negative Entwicklung verhindert.

Schon im 18. Jahrhundert beklagte man, daß schlesisches Glas leicht von der Sonne angegriffen wird, was sich an der häufig vorkommenden Amethystverfärbung durch Braunstein-Ausfall ablesen läßt.

Gläser aus der 1. Hälfte des 19. Jahrhunderts

Die zwischen dem Wiener Kongreß (1814/1815) und der Revolution von 1848 vor allem in Böhmen gefertigten Gläser faßt man unter dem Begriff "**Biedermeierglas**" zusammen.
Nach dem Elend der napoleonischen Kriege kam es im habsburgischen Böhmen ab 1815/20 in *Hütten*, die sich zumeist im Besitz des österreichischen Hochadels befanden, erneut zu einer Großproduktion kunstvoll verarbeiteten Glases. Hofglashütten und Hofglasschneider wie im Ancien régime gab es im 19. Jahrhundert aber nicht mehr. 1843 existierten in Böhmen 99 Glashütten und 24 im Jahre 1834 in Schlesien.
Zugleich etablierten sich in atelierartigen Werkstätten *Kleinbetriebe* vom Typ der barocken Porzellan- und Fayence-Hausmalereiunternehmen. Sie wurden betrieben von Spezialisten auf dem Gebiet der Glas*veredelung*, die auch individuelle Dekorwünsche von Auftraggebern erfüllen konnten wie z.B. Namensaufschriften.
Während der Badesaison verlegten viele Glasschneider ihren Aufenthalt in Badeorte wie Franzensbad, Karlsbad, Marienbad und Teplitz, wo sich der Adel und das reiche Bürgertum wochenlang vergnügten.

Das nach englischem und französischem Vorbild meist *dickwandig* gearbeitete Biedermeierglas ist von größter Perfektion in der meist völlig farblosen Masse ebenso wie in der Bearbeitung durch Schliff und Schnitt, dabei frei von Anklängen an Barockglas. Außer hoch veredeltem Kreideglas produzierte man nur wenig Blei-Kristallglas nach englischem Vorbild. Eine überraschende Fülle neuartiger und unabhängiger *Glasformen* löste altgewohnte Gefäße ab oder variierte sie. Statt der Pokalgläser und Humpen fertigte man jetzt für das Bürgertum vor allem Glasbecher in Unmengen (Walzen- und Ranftbecher); der Gebrauch von Blumenvasen kam auf; in den modisch gewordenen Kurorten benötigte man gläserne Brunnenbecher für das Heilwasser. Die meisten der erhaltenen und nicht wie einfaches Gebrauchsgut vernutzten Gläser dienten wohl als bloße Dekorationsobjekte, zur Schau gestellt in den neu aufgekommenen Vitrinenmöbeln. Vasen kaufte man oft als reine Ziervasen. Viele Gläser gab man gemütvoll als persönliche Geschenke für Freunde einzeln in Auftrag.

Eine Ordnung des Biedermeierglases nach Hütten fällt schwer; so gut wie kein erhaltenes Objekt verrät durch Zeichen oder eine Beschriftung den (oder die) Ortsnamen der Fertigung. So behilft man sich in der Regel mit einer Einteilung nach den technischen Merkmalen der Fertigung und Dekorierung.
An Zentren der Glas*veredelung* sind in der Gegend von **Haida** [Grundherr: Graf Kinsky] im nördlichen, Sachsen benachbarten Böhmen außer Haida selbst vor allem *Steinschönau* und *Meistersdorf* (A.Böhm, F.A.Pelikan) zu nennen.
Eine weitere, wichtige Gruppe bilden die Produkte aus in weniger wohlhabenden Gebieten gelegenen Hütten: *Gablonz* im Isergebirge, **Neuwelt / Harrachsdorf** am Südhang des Riesengebirges dicht an der schlesischen Grenze sowie *Turnau* etwas weiter im Süden. Im 2.Viertel des 19. Jh. übernahm die Harrach-Hütte in Neuwelt die führende Rolle. Um 1835 rühmte man auch die Schwarzenberg-Hütten Suchenthal und Ernstbrunn, ferner die südlich vom Isergebirge gelegenen beiden Hütten des Grafen Desfours in Morchenstern (1600 Glasschleifer) sowie die Hütte der Kinsky zu Reichenberg.
Aus **Südböhmen** und dem Böhmerwald kennt man als eigene Gruppe fast nur die in der Masse schwarz oder rot gefärbten Gläser der Buquoyischen Hütten in der Herrschaft Gratzen, deren Golddekor in Nordböhmen zugefügt wurde. Hier führte Josef Meyr im Jahre 1798 den Brillantschliff ein.
Die **südwestböhmische** Adolfshütte des Joseph Meyr bei Winterberg fertigte Kristallglas in englischer Art.

Schliff und Schnitt

Zierschliff und Glasschnitt behielten ihre wichtige Rolle bei der Veredelung. Der Glasschliff erreichte als autonomes Dekorprinzip sogar den Höhepunkt seiner Geschichte. Die seit der Barockzeit übliche Arbeitsteilung behielt man bei, sie wurde in der Spezialisierung sogar noch gesteigert. Die Schleifer bearbeiteten ausschließlich ebene Flächen wie Facetten, Schälung und Hochschliff, die Kugler dagegen gekrümmte Flächen wie Walzen- und Linsenschliff. Schliff *und* Schnitt beherrschten in Personalunion wenige Kuglergraveure.
In der Technik des Schleifens entwickelte man erstaunliche Neuerungen. Rauten-, Rosetten-, Steindl-, Walzen- und Eckenschliff, keilförmig, gerundet, flächig oder gebüschelt, im Relief oder eingetieft, übertrafen bald das englisch-irische Vorbild. Nordböhmen errang auf diesem Gebiet die Führungsrolle in Europa.
Der Schnitt auf Biedermeierglas führte trotz aller Raffinesse nur noch wenig über den des Barockglases hinaus, sieht man von den in Franzensbad geschnittenen Porträts des Dominik **Biemann** ab (Harrachsdorf/Neuwelt 1800 - 1857 Eger), dessen unübertrefflichen [im Bayerischen Nationalmuseum nicht vertretenen] Porträts niemand etwas entgegenzustellen hatte. Zentren des Glasschnitts waren das Riesengebirge und später die Gegend um Steinschönau in Nordböhmen. Vorübergehend während der Saison oder auch ganzjährig arbeiteten viele unabhängige Glasschneider in den nordwestböhmischen und deutschen Kurorten.
Manche erhaltenen Arbeiten erlauben das Verknüpfen mit gesicherten Glasschneidernamen. Die Masse der Schliff- und Schnittgläser bleibt jedoch anonymes Erzeugnis von Handwerkern.
Die Produktion in *Murano* mit ihrer für Schliff und Schnitt ungeeigneten Glasmasse sank in dieser Zeit zu völliger Bedeutungslosigkeit herab, aus der sie nach 1840 Männer wie Lorenzo Radi herauszuführen suchten.

Vom meist farblosen Glas des Rokoko setzt sich das in Fülle hergestellte, edelsteinartig bunte, **in der Masse gefärbte Biedermeierglas** ab. Das umfangreiche Ausnutzen teilweise altbekannter Färbungsrezepte zeigt eine im neuen Jahrhundert radikal geänderte Ästhetik auf, die im Laufe der Jahrzehnte auch zu aufdringlicher Buntheit führen konnte. Daneben behauptete sich durch die Schlifftechnik weiterhin bergkristallreines Glas. Die neue Mode der intensiven Glasfärbung basierte auf fremden Vorbildern, vor allem englischen, oft mit blitzendem Silber montierten, leuchtend blauen und grünen Tischgläsern, Flaschen, Menagen und Salzfäßchen aus der 2. Hälfte des 18. Jahrhunderts. Neu erfundene Tönungen waren zum Beispiel Alabaster- und Chrysoprasglas oder das fluoreszierende Uranglas (Annagelb und Annagrün), die in Böhmen um 1840 aufkamen. Bleihaltiges Goldrubinglas fertigte man erneut ab ca. 1830 in Neuwelt, in Adolfshütte (gegr. 1814) und in Eleonorenhain (1822), in der Schreiberhauer Josephinenhütte (1841) wie in Theresienthal in Bayern (1836).

Das in Hütten häufig gefertigte **Überfangglas** entsteht durch Aufbringung einer farbigen Blase über farblosem, dickerem Grundglas oder durch ein Aufschmelzen mehrerer unterschiedlicher Farbschichten an der Glasmacherpfeife. Ein Durchschleifen der oberen Farbschicht(en) ermöglicht viele Dekorvariationen.

Rote und dunkelbraune, schlierig-achatartig marmorierte Farbgläser hatte man schon im 17. und 18. Jh. hergestellt. Farbiges, an antike (»hetrurische«) Vasen erinnerndes *Opakglas* fertigten dann im 19. Jh. in großen Mengen die Hütten des Grafen Buquoy in Georgental und Silberberg in Südböhmen: ab 1803 **siegellackrotes** und seit ca. 1817 **schwarzes Hyalithglas**. Letzteres war erstmals ein wirklich opakes Glas von obsidianschwarzer Farbe, die der Engländer Wedgwood Jahrzehnte zuvor in Anlehnung an antike Keramik in Mode gebracht hatte ("Basaltware"; zusammen mit "rosso antico"). Facetten und sparsamer Golddekor genügten bei opaken Farbgläsern für ein wirkungsvolles Aussehen.
Zu den Spitzenprodukten des Farbglases gehören die transparenten, in *Frankreich* ab ca. 1820 hergestellten, milchigen **Opalgläser** in Weiß-, Rot- und Blautönen mit einem Perlmuttschimmer.

Mehr noch als Schliff und Schnitt trugen bunte, **aufgemalte und aufgebrannte Überzüge** zum Weltruf des böhmischen Biedermeierglases bei.
Die Färbung der Masse wird durch eine raffinierte Oberflächenbehandlung manchmal nur vorgetäuscht: Auf opakes, rot marmoriertes, beschliffenes Grundglas brannte man hauchdünn aufgestrichen andere, aus Metallsalzen gewonnene Farben in Muffelöfen auf, die man **Lasur**, **Beize** oder auch Imprägnierung nannte. Im Gegensatz zum älteren, dicken Emailfarbendekor verlor die Glasoberfläche dabei weder ihre Glätte noch den Glanz. Dieser aufgebrannte Farbauftrag wird auch bei häufigem Gebrauch kaum beschädigt. Zudem konnten mit dem Pinsel auf beiden Seiten der Hohlgläser unterschiedliche Tönungen aufgemalt werden.
Die im Gegensatz zum Überfangglas relativ niedrige Brenntemperatur der Lasuren ermöglichte es Raffineuren in kleineren Werkstätten, das von ihnen gekaufte Hüttenglas zu kostbaren Einzelanfertigungen zu verfeinern. Derartige Beizen hatte man schon um 1817 im Riesengebirge aufgebrannt und seit ca. 1825 in Silberberg in Südböhmen. Ein Vorläufer war die bernsteinfarbene Silbergelbbeize als aufgemalte Flächenfärbung mittelalterlicher Glasfenster.
Diese *gestrichenen* Gläser sind aufs engste verknüpft mit Friedrich **Egermann** in Blottendorf / Haida (1777-1864). Im Jahre 1842 zählte sein Atelierbetrieb etwa 200 Lasurer und Glasschneider, die jährlich etwa 2.500 Doppelzentner Rohglas verarbeiteten. Im Jahre 1818 hatte man Egermann die (Nach-)Erfindung der Silbergelbbeize bestätigt. 1828 wurden ihm Patent und Privileg für **Lithyalinglas** erteilt, eine für ihn reservierte Bezeichnung für Hyalithgläser mit den beschriebenen Beizen. Das dunkle, opake, bereits marmorierte Grundglas bezog Egermann aus Neuwelt ("Rotwelsches Glas", gefertigt seit der Mitte des 18. Jh.) wie aus den südböhmischen Buquoy-Hütten (roter Hyalith). Bei der Farbigkeit ist zu unterscheiden zwischen dem Grundglas, der Außen- und der Innenfarbe.
Außer gebeizten Opakgläsern veredelte Egermann ab 1831 auch aus Neuwelt bezogene, ganz oder teilweise *transparente* Farbgläser, die wie die "Chamäleongläser" im Auf- oder im Transparentlicht eine unterschiedliche Farbe haben.

Seit 1816 arbeitete Egermann an einer »roten Lasur«, einer transparenten, empfindlichen **Rubinätze**, die er in der Nachfolge der Neuwelter Hütte nach 1830 in der Muffel aufbrennen konnte. In großer Zahl fertigten nach einem Einbruch in Egermanns Werkstatt im Jahre 1842, durch den seine Rezepte gestohlen wurden, dann auch andere böhmische und deutsche Hütten diese kupferhaltige Rotfärbung; häufig kombinierten sie den intensiv roten Farbdekor mit einer billigen Rutschgravur, womit die Rubinätze zur Billigware wurde.
Die Rubinierung mit Rotätze läßt sich - am einfachsten durch Feststellen von Kratzern im Farbüberzug - manchmal kaum vom **Kupferrubinüberfang** unterscheiden, der als gefärbter Glas*überfang* bei sehr hoher Temperatur ausschließlich in Hütten (wie schon in der von Böttger in Dresden) aufgebracht wurde. Kupferrubinglas konnte man ab ca. 1827 in Neuwelt (wieder) fertigen. Färbt man die gesamte Glasmasse mit Kupferrubin, so erzielt man eine fast schwarze Farbe mit einem rötlichen Stich in kräftigem Transluzidlicht.
Der häufig zu findende lila Überfang wurde ab 1835 hergestellt und violette Lüsterbeize seit 1836.

Transparenter Emailfarbendekor in der 1. Hälfte des 19. Jahrhunderts
Das Aufbrennen von transparenten Emailfarben ist engstens verknüpft mit den Namen von Michael Sigismund **Frank** (Nürnberg 1770 - München 1847), von Samuel **Mohn** (1762-1815, seit 1809 in Dresden) und dessen Sohn Gottlob Samuel **Mohn** (1789-1825, seit 1811 in Wien) sowie von Anton **Kothgasser** (Wien 1769-1851). Auch in Friedrich **Egermann**s Raffinerie verwendete man seit den 20er Jahren des 19. Jahrhunderts diese Technik.
In den Hütten selbst scheint man transparente Emaildekorierung nicht angewandt zu haben; sie war die unangefochtene Domäne von in Städten lebenden, unabhängigen Malern, die häufig zuvor in Porzellanmanufakturen wie Meißen oder Wien gearbeitet hatten. Kothgasser beschäftigte sogar zahlreiche Mitarbeiter. Nach Musterstücken, Stichen oder eingesandten Vorlagen boten solche Kleinunternehmen ganze Serien an, vor allem die beliebten Panorama- oder Vedutengläser. Das erstaunlich große Sortiment, ein Repertoire der Biedermeierikonographie, umfaßte aber auch individuelle Aufträge mit Namensaufschriften. Letztens setzten diese überaus produktiven Werkstätten die Hausmalerei der Barockzeit fort.

Glasinkrustationen

Ein technisch kompliziertes Verfahren, feuerfeste Gips-, Steatit- oder Biskuitreliefs in Glas einzuschmelzen, wurde im späten 18. Jahrhundert in **Frankreich** erfunden: An der rauhen Oberfläche dieser Materialien haftet etwas Luft, so daß sich - ohne Anfeuchten und anschließendes Verdampfen der Feuchtigkeit im glühend heißen Glas - auf der Einlage ein Oberflächenglanz in der Art von mattem Silber ergibt. In Frankreich beherrschte man auch ein Einschmelzen von mit Goldfolien und farbigem Email verzierten Reliefpasten, was zugleich große Fähigkeiten in der Temperaturregelung voraussetzt.
Derartige Glasinkrustationen, manchmal sogar mittels einfacher Maschinen in die heiße Glasmasse eingepreßt, nennt man auch **Sulfures** (Schwefelsilber).

Die Bewunderung antiker Kameen und Gemmen, die man in Gipsabgüssen in der Zeit um 1800 begeistert sammelte, könnte den Anstoß für diese völlig neue Technik der Glasveredelung gegeben haben.
Die von Christoph Schmitz (München) im Jahre 1835 als "niedliche Glasinkrustate" bezeichneten Sulfures zeigen wie die antiken Steinschnitte vielfach Porträts bedeutender Persönlichkeiten der Zeitgeschichte.

Nachahmungen in **Böhmen** gelangen erst nach Überwindung technischer Schwierigkeiten, bedingt durch die ungleichen Abkühlzeiten der unterschiedlichen Materialien. In der nordböhmischen Hütte Neuwelt stellte Johann Pohl erstmals im Januar 1821 Glasinkrustationen her; hier soll man in Abwandlung der raffinierten französischen Technik auch mühsam eingeschnittene Darstellungen mit einer Paste gefüllt und dann mit Glas überfangen haben. Im Jahre 1823 war die Produktion bereits in vollem Gange. Die Pasten für Neuwelt, wo man aus Frankreich importierte Einlagen verarbeitete, lieferte zunächst die Würzburger Firma Franz Steigerwald, außerdem ab ca. 1830 wegen zu großen Bedarfs Johann Vogelsang in Frankfurt.

Die Geschichte der Glaserzeugung und Glasveredelung im 19. Jahrhundert in **Bayern** muß noch geschrieben werden, falls dies überhaupt noch gelingt. Sichere Zuweisungen erhaltener Gläser an bestimmte Hütten sind fast unmöglich.

Gläser des Historismus (außer Venedig)

Als Zeugnisse ihrer Entstehungszeit erfahren inzwischen Gläser, die noch vor wenigen Jahren als Fälschungen, Variationen, Nachahmungen oder bloße Kopien älterer Originale abgetan wurden, größere Beachtung.
Die Grenze zwischen eigenständigen, das überlieferte Repertoire der Glaskunst mehr oder minder paraphrasierenden Arbeiten des Historismus und den aus Begeisterung für Antiquitäten gefertigten Kopien sowie zu den zur Täuschung von Käufern angefertigten Fälschungen ist schmal. Bereits die emaillierten Gläser von Johann Georg Bühler (1761-Urach-1823) aus dem frühen 19. Jahrhundert entstanden wohl in fälschender Absicht wie die Ossian-Gedichte in der Literatur. Sämtliche mittelalterlichen Gläser des Bayerischen Nationalmuseums ließ um 1870/1880 die Firma Franz Steigerwald Neffe, München, in der Regenhütte bei Zwiesel "reproduzieren". Die Firma C.W. Fleischmann, Plastische Kunstanstalt in Nürnberg und München, stellte in der 2. Hälfte des 19. Jahrhunderts ihre Erzeugnisse permanent in der Eingangshalle des Bayerischen Nationalmuseums aus, dem sie auch Muster aller ihrer Glasgefäße schenkte, die wohl um 1944 gemeinsam mit anderen, nicht originalen Gläsern durch Kriegseinwirkung zerstört wurden.
Qualitätskriterien für die Produkte des Historismus wurden bisher kaum erarbeitet, das Innovative noch nicht vom lediglich Rezeptiven getrennt.

Spiegel

Vor der Erfindung des Gießens und Glattwalzens großformatiger *Glastafeln*, also bis zum 17. Jahrhundert, erzeugte man Flachglas durch ein streckendes Schwenken sehr großer, aufgeblasener Glaskugeln zu einem zylindrischen Gebilde, das man in glühendem Zustand oben und unten kappte; die so entstandene große Röhre schnitt man einseitig auf und glättete sie anschließend auf Stein oder Eisen durch mühsames Flachstrecken. Eine weitere Möglichkeit bot die Herstellung von Mondglas: Eine große kuglige Glasblase wird durch rasches Drehen vor dem Ofenfenster annähernd birnförmig gestaucht und danach auf das Hefteisen umgepickt; durch mechanisches Weiten der offen gelassenen Abrißstelle entsteht eine Art Trichter, der sich bei weiterem ständigen Drehen vor dem Feuer durch die Fliehkraft zu einer flachen Rundscheibe mit einem Nabel im Zentrum glättet. Ähnlich fertigte man die kleineren Butzenscheiben, bei denen der die Transparenz beeinträchtigende Abriß (Butzen) als eine Art Dekor belassen und nur leicht verwärmt wurde.

Außer polierten Metallspiegeln kannte man bereits in der Antike auch gläserne, mit einer dünnen Metallschicht unterfangene Planspiegel.
Am einfachsten war die Herstellung von Spiegeln durch ein Hinterlegen von Glas mit vorsichtig aufgegossenem Blei.

Im Mittelalter und erneut - vor allem in England - im 18. Jahrhundert fertigte man konvexe Kugelspiegel, indem man aus kuglig aufgeblasenem Glas Segmente herausschnitt und diese auf der Rückseite mit Metallfolie hinterlegte. In Nürnberg, dessen Spiegel dieses Typs schon im Mittelalter in ganz Europa berühmt waren, schlossen sich die *Glasspiegler* bereits im Jahre 1373 zu einer Zunft zusammen, in Venedig erst im Jahre 1564.

Die Brüder dall Gallo erfanden im Jahre 1503 in Venedig erneut das Verfahren der **Zinn-Amalgamation**, von der bereits antike Schriftsteller wie Plinius sowie Quellen aus dem frühen und hohen Mittelalter berichten: Zinnfolie kann durch Übergießen mit Quecksilber (das auch die Luftblasen vertreibt) bis zur Streichfähigkeit verflüssigt und damit dünn und eng anhaftend auf Glas übertragen werden; das giftige Quecksilber ließ man verdunsten. Verzerrungen des Spiegelbildes ergaben sich nur noch durch eine unebene Glasfläche. 119 auf diese Art in Venedig gefertigte Spiegeltafeln verwendete man 1599 im Pariser Louvre allein bei der Errichtung des ersten Spiegelkabinetts.

Dieses mit Mängeln, insbesondere Verzerrungen, und dem Zwang zu nicht allzu großen Formaten behaftete Verfahren wurde von einer revolutionär-neuen Technik verdrängt, als Abraham Thewart im Jahre 1688 in Paris ein Privileg für den von Bernard Perrot erfundenen **Tafelguß** erhielt: Große Flachplatten aus Glas konnten nunmehr in erheblicher Dicke gegossen werden, die man anschließend walzte, nochmals glattschliff und polierte, was eine Verzerrung des Spiegelbildes verhinderte. Die *Manufacture Royale des grandes glaces* beherrschte fortan den Weltmarkt wie zuvor die Hütten von Murano [Spiegelgalerie im Schloß zu Versailles]. Pariser Glas kaufte man um 1730 auch für die Verspiegelung ganzer Räume der Münchener Residenz.

Da Gußglas in der Regel dickwandig und somit unhandlich ist, wurden große Planspiegel kaum je durch Glasschnitt verziert, dafür jedoch mit aufwendigen Rahmen versehen.

In vielen deutschen Orten gab es Spiegelglashütten. In Böhmen entstand erst auffallend spät im Jahre 1757 eine Spiegelfabrikation, als man Fachleute aus Nürnberg, Neapel und Ferrara angeworben hatte.
Berühmt sind die im gläsernen Rahmenwerk oft kunstvoll mit Glasschnitt verzierten, manchmal auch farbig ausgezierten, kurmainzischen *Lohrer Spiegel* des 18. Jahrhunderts, die an diesem Ort im Spessart jedoch nur beschliffen, geschnitten und verarbeitet wurden; die gegossenen "Lohrer" Glastafeln kamen aus der von Frankfurter Kaufleuten als Faktoren geführten Hütte Rechtenbach, die 1698 von drei zuvor in Neustadt a.d. Dosse tätigen Franzosen in Gang gebracht worden war.

Die rückseitige Versilberung von Spiegelglas auf chemischem Wege erfand man erst im 19. Jahrhundert.

Taf. 1
Gürdenflasche mit Wappen der Nürnberger Familie Pfintzing
Venedig, wohl um 1520/30
Erworben 1911 aus der Sammlung v. Lanna (Prag) als Geschenk von Oskar Tietz, Berlin.
Höhe 27,6 cm. Entfärbtes, etwas gelbstichiges Sodaglas. Bunter Emailfarben- und Golddekor.
(Inv.Nr. 11/167; Kat.Nr. 36)

Taf. 2 und hintere Umschlagseite
Wappenteller mit Eglomisé-Dekor
Gefertigt für Herzog Ernst von Bayern (1500-1560)
Hall in Tirol, Hütte des Wolfgang Vitl, 1536
Dekor vielleicht von Paul Dax
1855 überwiesen aus der Münchener Residenz oder der Herzog-Max-Burg in München.
Durchmesser 43,2 cm, H. ca. 4 cm. Entfärbtes Sodaglas mit leichtem Graumanganstich ("rauchfarben"). Unterseite kalt bemalt mit bunten Lackfarben und Golddekor (Eglomisé-Technik).
(Inv.Nr. G 551; Kat.Nr. 130)

Taf. 3
Kanne mit Kaltmalerei
Gefertigt für Herzog Wilhelm IV. oder Ludwig X. von Bayern
Hall in Tirol, Hütte des Wolfgang Vitl, 1535/38
Dekor vielleicht von Paul Dax
1855 überwiesen aus der Herzog Max-Burg in München.
H. 31,5 cm. Entfärbtes Sodaglas mit rauchfarbenem Stich, ohne Grünstich. Kalt bemalt mit bunten Lackfarben und Gold.
(Inv.Nr. G 515; Kat.Nr. 132)

Taf. 4
Große Eglomisé-Schale mit Porträt der Roxelane, Gemahlin von Sultan (1520-1566) Soliman I., nach einem venezianischen Holzschnitt
Venedig, 2. oder 3. Viertel 16. Jh.
1855 überwiesen aus der Münchener Residenz.
H. 3,8 bis 4,5 cm, Durchmesser 44,1 cm. Entfärbtes Sodaglas mit leicht rauchfarbenem Stich. Kalt bemalt auf der Rückseite mit bunten Lackfarben, Gold und Silber (Eglomisé-Technik).
(Inv.Nr. G 553; Kat.Nr. 37)

Taf. 5 links
Teller mit Fuggerwappen
Wahrscheinlich **Hall oder Innsbruck**, um 1570/80
Erworben 1867 von Antiquar Rosenthal.
Durchmesser 18,5 cm, H. 1 bis 1,5 cm. Entfärbtes Sodaglas mit leicht rauchfarbenem Stich. Bunter Emailfarben- und Golddekor.
(Inv.Nr. G 482; Kat.Nr. 149)

Taf. 5 rechts
Stangenglas mit Wappen des Augsburger Buchhändlers Georg Willer
Wahrscheinlich **Hall oder Innsbruck**, 1581
Erworben 1962 im Münchener Kunsthandel.
H. 25 cm. Entfärbtes Sodaglas mit rauchfarbenem Stich. Bunter Emailfarben- und Golddekor.
(Inv.Nr. 62/55, Kat.Nr. 150)

Taf. 6
Deckelhumpen des Pfalzgrafen Otto Heinrich II. von Sulzbach (Amberg 1556-1604 Sulzbach), vermählt 1582 mit Dorothea Maria von Württemberg
Obersachsen? 1596
Erworben 1867 als Legat König Ludwigs I. von Bayern; zuvor Silberkammer der Münchener Residenz.
H. 39,3 cm (ohne Deckel 29,3 cm). Deckelhöhe 12,3 cm. Entfärbtes, graustichiges, im Deckel amethystfarben verfärbtes, schweres Kali-Kalkglas. Emailfarben- und Golddekor.
(Inv.Nr. G 114; Kat.Nr. 162)

Taf. 7
Römer des Mainzer Domkapitels, mit 69 Wappen und Ansicht von Mainz
Glas: **Spessart** (oder **Holland**?)
Diamantgerissener Dekor: **Mainz**, signiert »JR« (?), 1617
1874 aus Schloß Aschaffenburg in die Münchener Residenz verbracht. Seit 1929 im Bayerischen Nationalmuseum, dem das Glas 1931/32 im Tausch gegen Chinaporzellane etc. überlassen wurde.
H. 32,1 cm. Helles, sehr feines, relativ leichtes, smaragdgrünes Pottasche-Glas, meist mit Blau-, teilweise auch mit Gelbstich. Die Farbe in der dünnwandigen Kuppa stark aufgehellt. Mit originalem Lederfutteral, danach das Glas schon ursprünglich ohne Deckel.
(Inv.Nr. 31/249; Kat.Nr. 316)

Taf. 8
Schiff als Trinkspiel
Venedig, wohl 2. Hälfte 16. oder Anfang 17. Jh.
Erworben 1864/65 von der Münchener Kunsthandlung A.S.Drey.
H. 26 cm. Entfärbtes, minimal rauchstichiges Sodaglas, relativ dünnwandig. Auflagen in aquamarinblauem Glas. Rest von Vergoldung. Über der Takelage ein Pfeifchen in Form eines Fabeltiers.
(Inv.Nr. G 525; Kat.Nr. 48)

Taf. 9
Mondglasschale aus Netzglas
Venedig, vielleicht 3. Drittel 17. oder 1. Viertel 18. Jh.
1855 überwiesen aus der Münchener Residenz.
Durchmesser 48 cm, H. 3,7 bis 4,1 cm. Entfärbtes Sodaglas mit zartem Gelbstich. Netzwerk aus graustichigem Milchglas.
(Inv.Nr. G 552; Kat.Nr. 57)

Taf. 10
Flötenglas
Vielleicht **Amsterdam**, Rozengracht-Hütte oder südliche Niederlande, 3. Viertel 17. Jh.
Erworben 1905 in München, angeblich aus Nürnberg.
H. 23,5 cm. Mit Mangan amethystfarben gefärbtes, transluzides, nicht sehr leichtes Glas. Form in venezianischer Art. Geschnittener Weinrankendekor mit aufgebranntem Gold.
(Inv.Nr. G 1256; Kat.Nr. 116)

Taf. 11
Justitia-Humpen
Vielleicht **Obersachsen**, 1644
Erworben 1911 aus der Sammlung v. Lanna (Prag) als Geschenk von Oskar Tietz, Berlin.

H. 23,1 cm. Zart flaschengrünes Kali-Kalkglas. Emailfarbendekor.
(Inv.Nr. 11/165; Kat.Nr. 172)

Taf. 12
Kanne
Deutsch, vielleicht Anfang 17. Jh.
Erworben 1909 aus einer Lindauer Sammlung.
H. 23,1 cm. Entfärbtes Kali-Kalkglas mit stark manganfarbenem Stich (meist bräunlich, an dicken Stellen amethystfarben); nicht sehr schwer.
(Inv.Nr. G 1339; Kat.Nr. 271)

Taf. 13
Wappenhumpen aus Schloß Lößnitz bei Dresden
Obersachsen, 1655
Erworben 1961 im Münchener Auktionshandel mit Unterstützung der Allianz-Versicherung AG.
H. 29,5 cm. Entfärbtes, relativ schweres Kali-Kalkglas, goldbraun getönt. Emailfarben- und Golddekor.
(Inv.Nr. 61/10; Kat.Nr. 180)

Taf. 14
Deckelhumpen. Brautglas mit Porträt des Schulmeisters, Organisten und Glasmalers Johann Wolfgang Wanderer (Lauscha 1677-Bischofsgrün 1761) an der Orgel und dessen als Kalkantin dargestellten Frau Margarete Häfner (Heirat: 9.5.1698)
Bischofsgrün im Fichtelgebirge, signiert von Johann Glaser (1652-1734), 1698
H. 26,5 cm, ohne Deckel 18 cm. Deckelhöhe 10,3 cm. Wasserklares Kali-Kalkglas ohne Farbstich. Emailfarbendekor.
(Inv.Nr. 30/669; Kat.Nr. 196)

Taf. 15
Humpen des Landgrafen Carl von Hessen-Kassel (1654-1730)
Hessen, Hütte des Adam Götze in der Nieste im Kaufungerwald, 1680
Erworben 1961 im Hamburger Kunsthandel, zuvor großherzoglich-hessischer Besitz.
H. 22,2 cm. In Hellem Gelbgrün ("goldgrün") getöntes, leichtes und dünnwandiges Kali-Kalkglas. Emailfarbendekor.
(Inv.Nr. 61/77; Kat.Nr. 188)

Taf. 16
Humpen des Wolfgang Sigmund von Lüchau zu Donndorf (bei Bayreuth), Oberweitz und Seibothenreuth (1604-1647), kulmbachischer Kriegsrat, Obristleutnant und Oberamtmann zu Streitberg, Baiersdorf und Erlangen unter Markgraf Christian von Bayreuth; Heirat 1641 mit Maria Ursula, Tochter des Wilhelm Georg von Künsberg zu Thurnau.
Obersachsen, 1641
Erworben 1911 aus der Sammlung v. Lanna (Prag) als Geschenk von Oskar Tietz, Berlin.
H. 21,7 cm. Entfärbtes Kali-Kalkglas mit minimal rauchfarbenem Stich, an dicken Stellen zart gelbgrün. Emailfarben- und Golddekor.
(Inv.Nr. 11/161; Kat.Nr. 171)

Taf. 17
Deckelbecher mit Jagddekor und Granatbesatz
Mitteleuropa, wohl um 1630/40
Vermächtnis Sanitätsrat Dr.Heinrich Brauser, München, 1960.
H. 17,7 cm, ohne Deckel 10,4 cm. Deckelhöhe 8,3 cm. Entfärbtes Kali-Kalkglas mit kräftig gelbgrünem Stich. Mattschnitt und geblänkter Tiefschnitt: Inkunabel des Glasschnitts. Mit roter Paste aufgeklebt 105 geschliffene böhmische Granaten (Pyropen vom Typ der 'böhmischen Rosette').
(Inv.Nr. 60/74; Kat.Nr. 472)

Taf. 18
Deckelpokal aus weißem und blauem Glas
"Nürnberg", 4. Viertel 17. Jh.
Erworben zwischen 1855 und 1877.
H. 41,3 cm, ohne Deckel 28,3 cm. Deckelhöhe 14,5 cm. Entfärbtes Kali-Kalkglas, zart gelbstichig bis rauchfarben. Fuß, Kuppa und der größere Teil des Deckels aus leuchtend tintenblauem Glas.
(Inv.Nr. G 128; Kat.Nr. 483)

Taf. 19
Balusterpokal mit Ansichten von Versailler Brunnen, nach Stichen von Johann Ulrich Krauß (Augsburg 1691)
Schnittdekor: **Nürnberg**, Umkreis des Johann Wolfgang Schmidt? 4. Viertel 17. Jh.
Vermächtnis Sanitätsrat Dr.Heinrich Brauser, München, 1960.
H. 34 cm. Entfärbtes Kali-Kalkglas mit zart gelbem bis rauchfarbenem Stich. Mattschnitt, teilweise geblänkt.
(Inv.Nr. 60/77; Kat.Nr. 484)

Taf. 20
Balusterpokal mit Porträt des Nürnberger Ratsherren Gabriel Nützel von und zum Sündersbühl (1624-1687)
Schnittdekor: **Nürnberg**, signiert Hermann Schwinger, 1682
Vermächtnis Sanitätsrat Dr.Heinrich Brauser, München, 1960.
H. 28,9 cm. Entfärbtes Kali-Kalkglas, zart gelblich bis rauchfarben getönt. Mattschnitt. Einige Blänkungen. Signatur mit dem Diamanten gerissen.
(Inv.Nr. 60/80; Kat.Nr. 479)

Taf. 21 links
Balusterpokal mit Deckel: Befreiung der Stadt Wien von den Türken
Schnittdekor: **Nürnberg**, Johann Wolfgang Schmidt, bald nach 1683
Erworben zwischen 1855 und 1877.
H. 52,4 cm, ohne Deckel 35,8 cm. Deckelhöhe 18,5 cm. Entfärbtes Kali-Kalkglas mit rauchfarbenem bis zart gelblichem Stich. Mattschnitt, teilweise geblänkt.
(Inv.Nr. G 222; Kat.Nr. 485)

Taf. 21 rechts
Balusterpokal mit Porträt Kaiser Leopolds I. (1658-1705)
Schnittdekor: **Nürnberg**, Johann Wolfgang Schmidt zuzuschreiben, um 1690
Erworben 1929 als Geschenk der Erben von Frau Regierungsrat Maria Hertler, Dr. Wilhelm und Max

Schmidhuber, sowie Prof. Dr. Max, Heinrich und Walter Dingler. Ehemals Sammlung Ainmiller, München.
H. 45,5 cm, ohne Deckel 31,4 cm. Deckelhöhe 15,9 cm. Entfärbtes, zart gelbstichiges, etwas rauchfarbenes Kali-Kalkglas. Mattschnitt. Zwei geblänkte Linsenschliffe. Kleinere Blänkungen.
(Inv.Nr. 29/96; Kat.Nr. 486)

Taf. 22
Balusterpokal mit Reiterkampf
Schnittdekor: **Nürnberg**, Johann Wolfgang Schmidt zuzuschreiben, Ende 17. Jh.
Vermächtnis Sanitätsrat Dr.Heinrich Brauser, München, 1960.
H. 29 cm. Entfärbtes, zart gelbstichiges bis rauchfarbenes Kali-Kalkglas. Mattschnitt mit einigen Blänkungen. Diamantreißung. Deckel nicht zugehörig.
(Inv.Nr. 60/79; Kat.Nr. 487)

Taf. 23
Balusterpokal mit Deckel: Hirschjagd und Wappen des Grafen Franz Albrecht von Öttingen-Spielberg (1663-1737)
Schnittdekor: **Nürnberg**, signiert Georg Friedrich Killinger, wohl um 1710
Erworben 1950 in München aus der Sammlung Dr. Walter Bernt.
H. 53,7 cm, ohne Deckel 36,1 cm. Deckelhöhe 19,5 cm. Entfärbtes Kali-Kalkglas mit zartem Gelbstich, leicht rauchfarben. Mattschnitt, Blänkungen und Diamantriß.
(Inv.Nr. 50/4; Kat.Nr. 492)

Taf. 24
Balusterpokal mit Deckel: Nachfischen im Dutzendteichweiher vor Nürnberg sowie Wappen des Hans Christoph Tetzel (1665-1727). Auf dem Deckel Wappen vier weiterer Rugherren der Nürnberger Handwerke. Wahrscheinlich ein Ratspokal.
Glas: Vielleicht **Böhmen**.
Schnittdekor: **Nürnberg**, signiert Georg Friedrich Killinger, 1712
Erworben 1860 vom Kgl. Archiv-Conservatorium in Nürnberg.
H. 36,7 cm, ohne Deckel 25,7 cm. Deckelhöhe 12,4 cm. Entfärbtes Kali-Kalkglas, anscheinend mit leicht rauchfarbenem Stich, Verfärbung in zartem Amethystviolett. Mattschnitt mit Blänkungen.
(Inv.Nr. G 220; Kat.Nr. 493)

Taf. 25
Deckelpokal für eine Fischerzunft
Glas: **Böhmen**. Schnitt: **Nürnberg**, wohl Anton Wilhelm Mäuerl (1672 Wunsiedel - 1737 Hersbruck), um 1720
Erworben 1860 vom Kgl. Archiv-Conservatorium in Nürnberg.
H. 32,5 cm, ohne Deckel 24 cm), Deckelhöhe 9,6 cm. Entfärbtes, kristallartig glänzendes Kali-Kalkglas mit sehr zartem Gelbstich. Rubinglas mit Goldauflage. Matter und geblänkter Schnitt. Geblänkte Kugelungen. Diamantritzung. Gebohrte Traforierungen. Schliff.
(Inv.Nr. G 228; Kat.Nr. 500)

Taf. 26
Flasche mit feinem Blumendekor
Wohl **Nordböhmen**, gegen 1700
Erworben 1955 im Frankfurter Kunsthandel.
H. 15,9 cm. Sehr reines, schweres und dickwandiges, entfärbtes Kali-Kalkglas mit kräftig goldgelbem Stich. Polierter Schliff und Kugelungen.
Schnitt. Diamantgerissen.
(Inv.Nr. 55/138; Kat.Nr. 609)

Taf. 27
Blauer Becher mit Monogramm JWCP des Pfälzer Kurfürsten Johann Wilhelm ("Jan Wellem", 1658-1716)
Potsdam oder **Böhmen**, um 1700
1867 überwiesen aus der Silberkammer der Münchener Residenz.
H. 11,6 cm. Saphirblaues Farbglas, die Farbe leicht schlierig. Dickwandig und schwer. Schliff.
Tiefer Mattschnitt. Kleine geblänkte Kugelungen.
(Inv.Nr. G 256; Kat.Nr. 417)

Taf. 28
Deckelpokal mit Ornamentschliff
Nordböhmen, wohl um 1720/30
Erworben 1960 im Münchener Kunsthandel.
H. 46,7 cm, ohne Deckel 31,5 cm. Deckelhöhe 17 cm. Entfärbtes, sehr reines Kreideglas mit leichtem Gelbstich. Rubin- und Goldfäden. Blankschliff.
(Inv.Nr. 60/116; Kat.Nr. 641)

Taf. 29
Deckelpokal mit ornamentalem Schliff und Schnitt
Nordböhmen, wohl um 1720/30
Erworben 1964 im Münchener Kunsthandel.
H. 38,6 cm, ohne Deckel 27 cm. Deckelhöhe 12,8 cm. Entfärbtes, sehr reines, minimal gelbstichiges Kreideglas. Rubin- und Goldfäden. Blankschliff.
Hochschnitt oder in eine Form geblasen? Schnitt.
(Inv.Nr. 64/53; Kat.Nr. 642)

Taf. 30
Deckelpokal ("Füllhornpokal") mit Hochschnittdekor
Schlesien, wohl Preußlersche Hütte in Schreiberhau.
Schliff: Hirschberger Tal, Hütte der Grafen Schaffgotsch in Hermsdorf am Kynast. Wohl Friedrich Winter, um 1690/1700
Vermächtnis Sanitätsrat Dr.Heinrich Brauser, München, 1960. Aus Schloß Warmbrunn.
H. 31,5 cm, ohne Deckel 21,2 cm. Deckelhöhe 11,6 cm. Entfärbtes, etwas rauchfarbenes Kreideglas mit gelbem Stich, dickwandig und schwer. Geblänkter und matt belassener Hochschnitt. Schliff. Details in geblänktem Schnitt.
(Inv.Nr. 60/101; Kat.Nr. 768)

Taf. 31
Deckelpokal mit Hochschnittdekor und Schaffgotsch-Devise
Schlesien, wohl Preußlersche Hütte in Schreiberhau.
Schliff: Hirschberger Tal, Hütte des Grafen Schaffgotsch in Hermsdorf am Kynast. Wohl gegen 1700
Vermächtnis Sanitätsrat Dr.Heinrich Brauser, München, 1960. Aus Schloß Warmbrunn.
H. 30,8 cm, ohne Deckel 21,1 cm. Deckelhöhe 10,9 cm. Entfärbtes, etwas rauchfarbenes Kreideglas mit gelbem Stich, der Deckel manganstichig. Dickwandig

und schwer. Geblänkter und matt belassener Hochschnitt. Schliff. Teilweise geblänkter Schnitt.
(Inv.Nr. 60/102; Kat.Nr. 769)

Taf. 32
Balusterpokal mit ungedeutetem Wappen
Glas: vielleicht **Böhmen**
Schnittdekor: **Schlesien**, vielleicht Hirschberger Tal, Anfang 18. Jh.
Erworben 1960 im Frankfurter Kunsthandel.
H. 18,8 cm. Schweres, entfärbtes, zart gelbstichiges Kreideglas. Blankschliff. Schnitt mit wenigen Blänkungen.
(Inv.Nr. 60/20; Kat.Nr. 771)

Taf. 33 links
Deckelpokal mit Hafenansicht nach Johann Wilhelm Baur (1682). Exportglas für die Niederlande
Schlesien, Hirschberger Tal, wohl um 1740. In der Art von Christian Gottfried Schneider (1710-1773)
Erworben 1957 im Kölner Auktionshandel.
H. 24,5 cm, ohne Deckel 17,7 cm. Deckelhöhe 7,9 cm. Entfärbtes Kreideglas mit zartem Gelbstich. Blankschliff. Schnitt. Geblänkte Kugelungen.
(Inv.Nr. 57/47; Kat.Nr. 781)

Taf. 33 rechts
Pokal mit Wappen und Reliefpastenporträt des sächsischen Kurfürsten Friedrich August II. (reg. 1733-1763)
Schlesien, Hirschberger Tal, nach 1733 und wohl vor 1741
Das Reliefporträt vielleicht **sächsisch**
Erworben 1955 im Münchener Kunsthandel.
H. 18,8 cm. Entfärbtes Glas mit zartem Manganstich. Blankschliff; Schnitt, geblänkte Kugelungen. Vergoldung. Mit Harzlack (?) aufgeklebte, überschnittene, gegossene und milchig mattierte Reliefpaste.
(Inv.Nr. 55/209; Kat.Nr. 782)

Taf. 34
Deckelpokal mit Kaiserporträts: Maria Theresia und Franz von Lothringen sowie Joseph II. als Kind; Ansicht von Passau nach Matthäus Merian (1644)
Schlesien, Hirschberger Tal, wohl 1742
Erworben 1929 im Münchener Auktionshandel aus Thurn und Taxis-Besitz.
H. 30,6 cm; ohne (den ursprünglich zugehörigen?) Deckel 21,2 cm. Deckelhöhe 10 cm.
Entfärbtes Glas mit zartem Gelbstich. Blankschliff. Teilweise geblänkter Schnitt.
Passau war im ersten Schlesischen Krieg von 1741 bis 23.1.1742 von den Bayern besetzt, 1742-1745 von den Österreichern.
(Inv.Nr. 29/147; Kat.Nr. 783)

Taf. 35 links
Deckelpokal mit Putti als Jahreszeiten
Warmbrunn in Schlesien, in der Art von Christian Gottfried Schneider (1710-1773), wohl um 1760
Vermächtnis Sanitätsrat Dr.Heinrich Brauser, München, 1960.
H. 28,3 cm, ohne Deckel 20,3 cm. Deckelhöhe 8,9 cm. Entfärbtes Kreideglas mit zartem, rauchigem Manganstich. Blankschliff. In eine Form geblasene Kuppa. Teilweise geblänkter Schnitt. Vergoldung.
(Inv.Nr. 60/104; Kat.Nr. 796)

Taf. 35 rechts
Deckelpokal mit Wappen v. Arnim
Potsdam, gegen 1735 oder **Zechlin**, um 1737/40
Vermächtnis Sanitätsrat Dr.Heinrich Brauser, München, 1960.
H. 34,9 cm, ohne Deckel 23,1 cm. Deckelhöhe 13,1 cm. Entfärbtes Kreideglas. Blankschliff. Polierte Kugelungen. Schnitt. Reich vergoldet.
Die Potsdamer Hütte 1736 nach Zechlin verlegt.
(Inv.Nr. 60/94; Kat.Nr. 820)

Taf. 36
Schraubflasche mit Blumenschnitt, wohl ein Gewürzbehälter; aus dem Besitz Jan Wellems (vgl. Taf. 27)
Vielleicht **Brandenburg** (Potsdamer Hütte?), 1690/1706
1867 überwiesen aus der Silberkammer der Münchener Residenz.
H. ca. 19,5 cm (mit Montierung 21 cm). Entfärbtes Kreideglas mit rauchfarbenem Stich, leicht amethystfarben verfärbt. In die Form geblasen. Ungewöhnlich schwer und sehr dickwandig. Blankschliff. Geblänkte Facetten und Kugelungen. Schnitt mit einigen Blänkungen. Graviertes Silber.
(Inv.Nr. G 214; Kat.Nr. 810)

Taf. 37
Deckelpokal des Pfälzer Kurfürsten Jan Wellem (vgl. Taf. 27)
Potsdamer Hütte, Schnitt wohl von Gottfried Spiller, 1690/1706
Erworben zwischen 1855 und 1877.
H. 41,5 cm, ohne Deckel 28,7 cm. Deckelhöhe 14 cm. Entfärbtes, leicht gelbstichiges Kreideglas, silbrig blitzend. Sehr schwer und dickwandig. Blankschliff. Versenkter Hochschnitt. Schnitt mit Blänkungen.
(Inv.Nr. G 227; Kat.Nr. 811)

Taf. 38
Deckelpokal mit Hochschnitt und Puttenreigen
Potsdam, wohl um 1700/15
Schnitt: in **Berlin** wohl um 1715 zugefügt von Johann Moritz Trümper (Kassel 1680-1742 Berlin)
Vermächtnis Sanitätsrat Dr.Heinrich Brauser, München, 1960. Ehemals Sammlung Minutoli, Liegnitz.
H. 35,5 cm, ohne Deckel 22,6 cm. Deckelhöhe 13,6 cm. Entfärbtes, dickwandiges und schweres Kreideglas mit zartem Gelbstich. Blankschliff. Teilweise geblänkter Hochschnitt. Schnitt, meist geblänkt.
(Inv.Nr. 60/90; Kat.Nr. 814)

Taf. 39
Pokal mit Wappen König Friedrichs I. von Preußen (1657-1713, Kurfürst seit 1688, König seit 1701)
Brandenburg, wohl **Potsdamer** Hütte, 1707
Erworben 1973 im Kasseler Kunsthandel.
H. 29,2 cm. Entfärbtes, leicht gelbstichiges Kreideglas, silbrig blitzend. Sehr schwer und dickwandig. Blankschliff. Versenkter Hochschnitt. Schnitt.
(Inv.Nr. 812; Kat.Nr. 812)

Taf. 40
Pokal des Reichskammergerichts in Wetzlar, mit Wappen von Kaiser Franz I. (1708-1765, seit 1745 Kaiser), Ehemann der Kaiserin Maria Theresia
Wahrscheinlich **Lauenstein**, wohl bald nach 1745

Erworben 1860 als Geschenk des letzten Reichskam-merrichters Heinrich Graf von Reigersberg (1770-1865, bayerischer Justizminister 1806-1823). H. mit Montierung 32,1 cm, H. mit Deckel 43,5 cm, Deckelhöhe 12,4 cm. Entfärbtes, schweres und dickwandiges Kristallglas mit bläulich-aquamarinfarbenem Stich. Blankschliff. Schnitt. Geblänkte Kugelungen. Vergoldetes Silber. Deckel ursprünglich nicht zugehörig.
Goethe war 1772 Praktikant beim Gericht in Wetzlar.
(Inv.Nr. G 311; Kat.Nr. 829)

Taf. 41
Deckelpokal mit Oranierporträts: Wilhelm Carolus Henricus Friso (Willem IV.; 1711-1751), vermählt 1734 mit Anna von England (1709-1759)
Sachsen? Um 1735
Erworben 1965 im Frankfurter Kunsthandel.
H 52,5 cm, ohne Deckel 36,4 cm. Deckelhöhe 17,8 cm. Entfärbtes Kreideglas mit kräftig meergrünem Stich. Blankschliff. Schnitt mit Blänkungen.
Nach Schabkunstblättern von 1734 und 1735.
(Inv.Nr. 65/55; Kat.Nr. 847)

Taf. 42
Riesenpokal ("Gesundheitsglas") mit Porträts römischer Imperatoren
Dresden, Kgl. Ostrahütte, gegen 1720
Erworben 1968 im Wiener Kunsthandel als Stiftung des Freundeskreises des Bayerischen Nationalmuseums. 1739 im Warschauer Schloß inventarisiert.
H. 69 cm, ohne Deckel 47 cm. Deckelhöhe 24,3 cm. Entfärbtes Kreideglas mit schwach gelbem sowie schwach rauchfarbenem Stich. Hochschliff. Blankschliff. Mattierungen. Schraubgewinde. Vergoldetes Silber.
(Inv.Nr. 68/9; Kat.Nr. 841)

Taf. 43
Römer mit planetarischen Darstellungen als Sinnbild der Vier Elemente, nach Athanasius Kircher (1678) und Hevelius (1647)
Wohl **norddeutsch** (Lübeck?), wahrscheinlich um 1740/50 (1744?)
Erworben 1911 aus der Sammlung v. Lanna (Prag) als Geschenk von Oskar Tietz, Berlin.
H. 47,8 cm, ohne Deckel 35,5 cm. Deckelhöhe 13,6 cm. Entfärbtes, leicht gelblich getöntes Kali-Kalkglas. Mattschnitt, geblänkter Tiefschnitt. Durch die Größe und Dicke der Wandung recht schwer.
(Inv.Nr. 11/164; Kat.Nr. 343)

Taf. 44
Becher mit Wiener Botenläufer
Nordböhmen, wohl um 1820
Schnittdekor: Isergebirge?
Erworben 1965 aus Wiener Privatbesitz.
H. 14,2 cm. Entfärbtes, schweres Kristallglas mit zartem Gelbstich. Schliff. Geblänkte Kugelungen. Schnitt mit Blänkungen.
(Inv.Nr. 65/15; Kat.Nr. 979)

Taf. 45
Deckelschaff mit Unterplatte, Lasur und Golddekor
Georgenthal (oder Silberberg) bei **Gratzen**, um 1835/40
Golddekor: wohl **Nordböhmen**
Erworben 1975 im Münchener Kunsthandel.
Schaff: 17,5 x 11 cm, H. 16,4 cm (ohne Deckel 9 cm). Deckel: 15,4 x 10,8 x 9 cm. Platte: 26,5 x 21,1 x 3 cm. Lila-milchig gebeiztes Hyalithglas mit wolkiger Marmorierung in hellem Graublau; farbloses Grundglas; dickwandig, sehr schwer; im Transluzidlicht milchigrötlich maronebraun. Schliff. Kugelungen. Vergoldung.
(Inv.Nr. 75/290 a-c; Kat.Nr. 886)

Taf. 46
Ranftbecher, Lithyalinglas
Glas: Südböhmen, Hyalith der Herrschaft **Gratzen**
Dekor: **Blottendorf** bei Haida, Friedrich Egermann (1777-1864), wohl um 1830
Erworben 1965 aus Wiener Privatbesitz.
H. 11,5 cm. Grundglas: Opaker, siegellackroter Hyalith. Schälschliff.
Außenfarbe: Lasuren in Eisenrot, Blau und Olivgrün.
Innenfarbe: Siegellackrot mit purpurner Marmorierung.
(Inv.Nr. 65/11; Kat.Nr. 879)

Taf. 47
Becher mit Knopfmedaillons, Lithyalinglas
Glas: Südböhmen, Hyalith der Herrschaft **Gratzen**
Dekor: **Blottendorf** bei Haida, Friedrich Egermann (1777-1864), wohl um 1840
Erworben 1967 aus Wiener Privatbesitz.
H. 10,5 cm. Grundglas: Opaker, siegellackroter Hyalith. Schliff mit Schälern und Knöpfen.
Innenwandung durch Vergoldung verdeckt.
Außenfarbe: Lasuren in Braunrot, marmoriert mit etwas Grau, Schwarz, Blau und etwas Türkis; zumeist dünne graue Stupfung, so daß sich die Hauptfarbe einem Purpur nähert. Polierte Vergoldung.
(Inv.Nr. 67/65; Kat.Nr. 881)

Taf. 48
Ranftbecher mit Ansicht des Grabens in Wien und Lyra-Bordüre
Glas: **Böhmen**
Dekor: **Wien**, signiert "AK"
Anton Kothgasser (1769-1851), wohl um 1820
Erworben 1947 aus Privatbesitz in Schaftlach bei München.
H. 11,5 cm. Entfärbtes Kristallglas mit minimalem Graustich, schwer. Blankschliff. Vergoldung. Transluzidemail. Silbergelbätze.
Mit originalem, rot gelacktem Lederetui mit Goldpressung.
(Inv.Nr. 47/2; Kat.Nr. 911)

Vordere Umschlagseite
Kanne mit Kaltmalerei
Gefertigt für Herzog Ernst von Bayern (1500-1560)
Hall in Tirol, Hütte des Wolfgang Vitl, 1535-1538
Dekor vielleicht von Paul Dax
1855 überwiesen aus der Herzog-Max-Burg in München.
H. 31,5 cm. Entfärbtes Sodaglas mit leicht graugrünem Manganstich ("rauchfarben"). Kalt bemalt mit bunten Lackfarben und Gold.
(Inv.Nr. G 517; Kat.Nr. 131)

HEINRICH·PFALTZ
BEY·RHEIN·

FLORENTISSIMÆ METROPOLITANÆ
MOGVNT
LA METROPO
RHENVS FLV:

1655

fragen
die
1·6
98

C
16 80

H. Schwinger Cristall
schneider in Nürnberg.

HANNS CHRISTOPH TETZEL

Welvaeren Van

TG
P I
IUS
TITIA
ET·CLEM
ENTIA

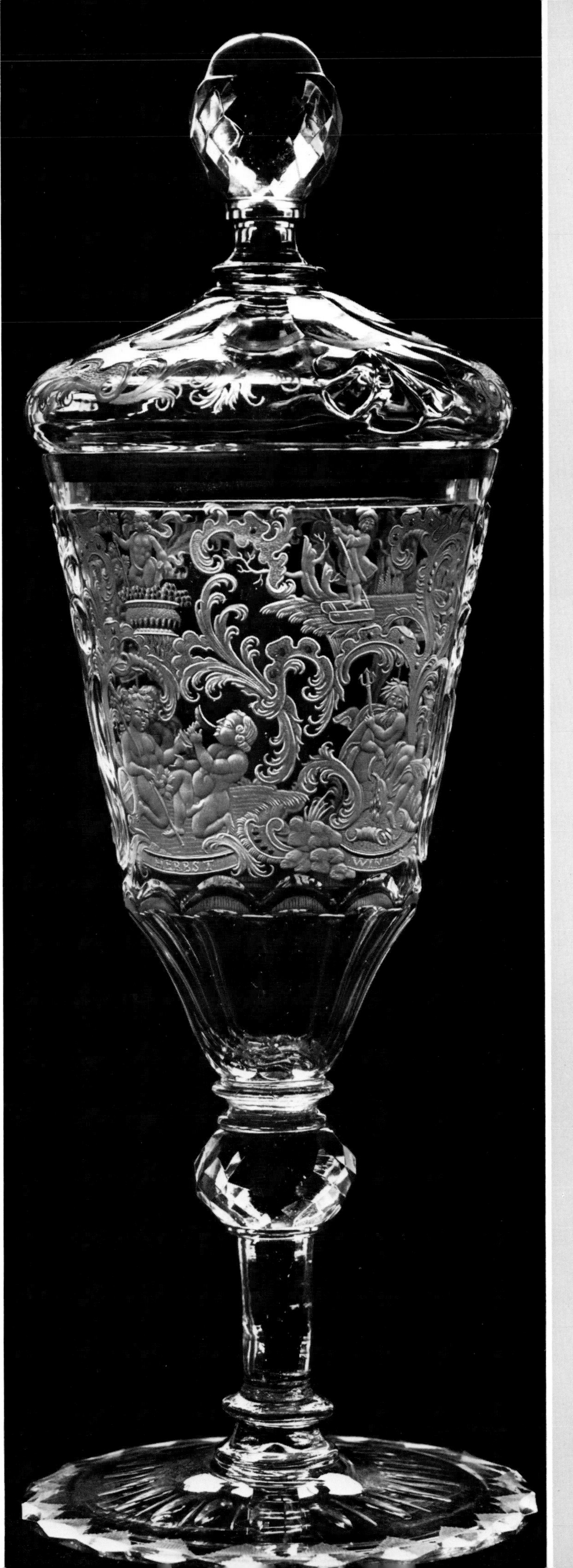
HERBST

VIVAT PRINTZESIN VON ORANIEN

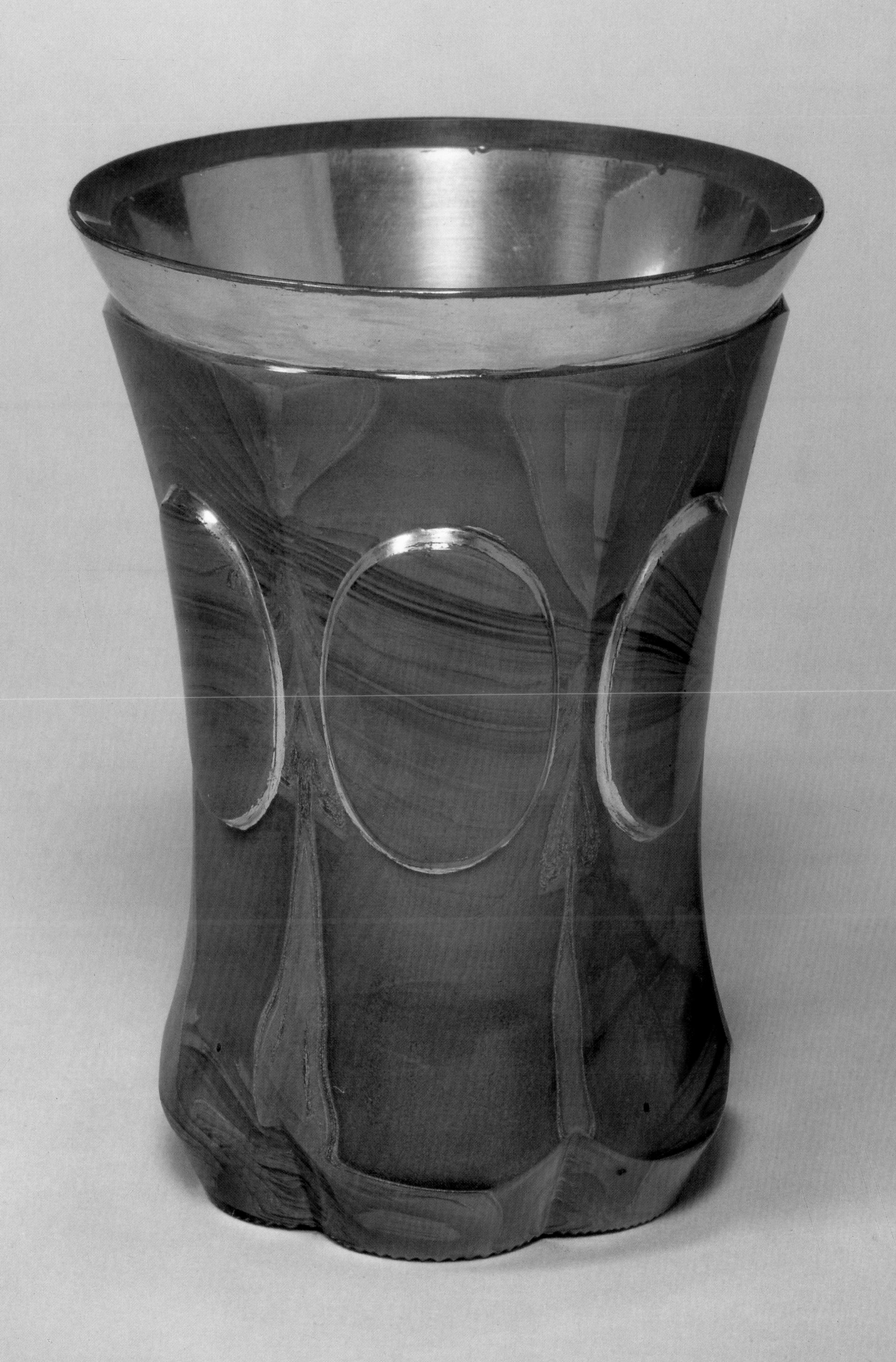

la place, dite Graben à